JN174316

社会福祉法人の運営と財務 第2版

公認会計士・税理士
古田清和
公認会計士・税理士
津田和義
公認会計士
中西倭夫
公認会計士・税理士
走出広章
公認会計士・税理士
村田智之
著

同文舘出版

第2版　はじめに

平成28年3月31日，社会福祉法が，社会福祉法人制度の改革・福祉人材の確保の促進の観点から改正されました。本書は社会福祉法人を取り巻く関係者の方々に，社会福祉法人の運営や会計制度について，トピックを絞ってわかりやすく解説することを目的に執筆されたものです。本書の初版は，幸いにも多くの方に手にとっていただくことができました。その後，制度適用のための政省令や通知等の制定，改正等が多岐にわたり行われ，平成29年4月1日からは新たな制度のもとで，社会福祉法人の運営がなされています。第2版では，これらの新しい改正内容を取り込んで解説しています。各章の内容は以下のとおりです。

序章では，社会福祉の現状と課題についてまとめていますので，基本的な内容を確認し整理するためにも，まず目を通していただきたいと思います。第1章では，改正された法令の内容とガバナンスを中心とする経営の在り方について解説していきます。第2章では，新たな社会福祉法人会計基準や税務対応に留まらず，開示書類や社会福祉充実計画について，民間企業と異なる点を中心に解説していきます。第3章では，法人を運営していく基礎となり，大変重要視されている内部統制のあり方について，また今後一定規模の法人には強制される会計監査への具体的な対応について解説していきます。第4章では，法人の経営指標の概要と利用方法について解説していきます。

また本書では，読者の方々の理解のために，各章それぞれのポイントがわかるよう冒頭には「概要」，章末には「要約」をまとめていますので参考にしていただきたいと思います。さらに，第1章以降は，見開きでコンパクトにまとめることで，どの項目からでも読者の関心・興味にあわせて読んでいただける構成にしています。

第２版では，主要な改正点を内容に反映することができ，多くの方々のお役に立てるような，新制度のもとでの社会福祉法人の実務書にブラッシュアップできたのではないかというのが執筆者一同の思いです。

改訂にあたり多大なご尽力をいただいた同文舘出版株式会社の青柳裕之氏・有村知記氏に御礼申し上げます。

平成29年7月

執筆者を代表して

古田清和

目　次

序　章　社会福祉の現状と課題

第1章　社会福祉法人の基礎知識

第2章 社会福祉法人の会計と税務

第3章 社会福祉法人の内部統制と監査

第4章　社会福祉法人の経営指標と分析

社会福祉法人関連法令・資料一覧

※最終改正は平成29年6月30日時点

本書で引用，参考とした法令・通知・事務連絡・報告書の一覧です。社会福祉法人の運営に必要な情報が盛り込まれているので，できるだけお手元に置いて，実務を行っていただきたいと思います。なお，厚生労働省のウェブサイトにある「社会福祉法人制度改革について」では，実務に必要な資料が分野別に時系列で掲載されているため大変便利です。

■ 法令一覧 ■

法令	最終改正
社会福祉法	H. 28. 12. 16
社会福祉法施行令	H. 28. 11. 11
社会福祉法施行規則	H. 28. 11. 11
社会福祉法人会計基準	H. 28. 11. 11
社会福祉法人審査基準	H. 28. 11. 11
社会福祉法人定款例（旧社会福祉法人定款準則）	H. 28. 11. 11
老人福祉法	H. 27. 5. 29
児童福祉法	H. 28. 6. 3
知的障害者福祉法	H. 28. 6. 3
身体障害者福祉法	H. 28. 6. 3
障害者の日常生活及び社会生活を総合的に支援するための法律（障害者総合支援法）	H. 28. 6. 3
障害者自立支援法	H. 18. 6. 23
生活困窮者自立支援法	H. 28. 5. 20
生活保護法	H. 28. 6. 3
精神保健及び精神障害者福祉に関する法律（精神保健福祉法）	H. 28. 6. 3
介護保険法	H. 28. 11. 24
特定非営利活動促進法	H. 28. 6. 7
法人税法	H. 28. 11. 28
法人税施行令	H. 28. 11. 28
租税特別措置法	H. 28. 11. 28
所得税法	H. 28. 11. 28
消費税法	H. 28. 11. 28
消費税法施行令	H. 28. 11. 28
地方税法	H. 28. 12. 9
地方税法施行令	H. 28. 11. 28
登録免許税法	H. 28. 12. 9
印紙税基本通達	S. 52. 4. 7

■ 資料一覧 ■

資料名	発行団体，文書記号	発行年月日
社会福祉法人の認可について（通知）	障第 890 号／社援第 2618 号／老発第 794 号／児発第 908 号	H. 12. 12. 1
「社会福祉法人の認可について」の一部改正について	雇児発 1111 第 1 号／社援発 1111 第 4 号／老発 1111 第 2 号	H. 28. 11. 11
社会福祉法等の一部を改正する法律の施行に伴う関係政令の整備等及び経過措置に関する政令等の交付について（通知）	社援発 1111 第 2 号	H. 28. 11. 11
社会保障審議会福祉部会報告書～社会福祉法人制度改革について～	厚生労働省社会・援護局福祉基盤課	H. 27. 2. 12
社会福祉法人制度改革について～	厚生労働省	H. 28. 3. 31
社会福祉法人制度改革の施行に向けた全国担当者説明会資料	厚生労働省社会・援護局福祉基盤課	H. 28. 11. 28
社会福祉法人制度改革の施行に向けた留意事項について（経営組織の見直しについて）	厚生労働省社会・援護局福祉基盤課（事務連絡）	H. 28. 6. 20
「社会福祉法人制度改革の施行に向けた留意事項について（経営組織の見直しについて）」の改訂について	厚生労働省社会・援護局福祉基盤課（事務連絡）	H. 28. 11. 11
社会福祉法人制度改革における社会福祉法人定款例（案）について	厚生労働省社会・援護局福祉基盤課（事務連絡）	H. 28. 6. 20
租税特別措置法施行令（昭和 32 年政令第 43 号）第 25 条の 17 第 6 項第 1 号の要件を満たす社会福祉法人の定款の例について	厚生労働省社会・援護局福祉基盤課（事務連絡）	H. 29. 3. 29
社会福祉法人会計基準	改正：厚生労働省令第168号	H. 28. 11. 11
社会福祉法人会計基準適用上の留意事項	雇児総発 0331 第 7 号／社援基発 0331 第 2 号／障障発 0331 第 2 号／老総発 0331 第 4 号	H. 28. 3. 31
社会福祉法人会計基準の制定に伴う会計処理等に関する運用上の取扱いについて	雇児 0331 第 15 号／社援発 0331 第 39 号／老発 0331 第 45 号	H. 28. 3. 31
「社会福祉法人会計基準の制定に伴う会計処理等に関する運用上の取扱いについて」の一部改正について	雇児発 1111 第 3 号／社援発 1111 第 5 号／老発 1111 第 6 号	H. 28. 11. 11

資料名	発行団体，文書記号	発行年月日
社会福祉法人会計基準の制定に伴う会計処理等に関する運用上の留意事項について	雇児総発0331第7号／社援基発0331第2号／障障発0331第2号／老総発0331第4号	H. 28. 3. 31
「社会福祉法人会計基準の制定に伴う会計処理等に関する運用上の留意事項について」の一部改正について	雇児総発1111第2号／社援基発1111第2号／障障発1111第1号／老総発1111第1号	H. 28. 11. 11
社会福祉法第55条の2の規定に基づく社会福祉充実計画の承認等について	雇児発0124第1号／社援発0124第1号／老発0124第1号	H. 29. 1. 24
「社会福祉充実計画の承認等に関するQ&A（vol.2）」について	厚生労働省社会・援護局福祉基盤課（事務連絡）	H. 29. 4. 25
社会福祉法人が届け出る「事業の概要等」等の様式について	雇児発0329第6号／社援発0329第48号／老発0329第30号	H. 29. 3. 29
社会福祉法人指導監査実施要綱の制定について	雇児発0427第7号／社援発0427第1号／老発0427第1号	H. 29. 4. 27
会計監査及び専門家による支援等について	社援基発0427第1号	H. 29. 4. 27
非営利法人委員会研究報告第32号「会計監査人非設置の社会福祉法人における財務会計に関する内部統制の向上に対する支援業務」	日本公認会計士協会	H. 29. 4. 27
非営利法人委員会実務指針第40号「社会福祉法人の計算書類に関する監査上の取扱い及び監査報告書の文例」	日本公認会計士協会	H. 29. 4. 27
非営利法人委員会研究報告第27号「社会福祉法人の経営指標～経営状況の分析とガバナンス改善に向けて～」	日本公認会計士協会	H. 26. 7. 24
社会福祉事業の経営者による福祉サービスに関する苦情解決の仕組みの指針について	障第452号／社援第1352号／老発第514号／児発第575号	H. 12. 6. 7

凡例

雇児総：雇用均等・児童家庭局総務課長
社援基：社会・援護局福祉基盤課長
障障：社会・援護局障害保健福祉部障害福祉課長
老総：老健局長総務課長
児：児童家庭局長
雇児：雇用均等・児童家庭局長
社援：社会・援護局長
障：社会・援護局障害保健福祉部長
老：老健局長
※これらは厚生労働省内の部署名となります。

法令・資料略語一覧

法令・資料名	略語
社会福祉法	法
社会福祉法施行令	社令
社会福祉法施行規則	施規
社会福祉法人会計基準	基準
社会福祉法人会計基準適用上の留意事項（運用指針）	運用指針
社会福祉法人審査基準	審査基準
社会福祉法人定款例	定款例
社会福祉法人定款準則	定款準則
「社会福祉法人の認可について」の一部改正について	認可一部改正
社会福祉法第55条の2の規定に基づく社会福祉充実計画の承認等について「社会福祉充実計画の承認等に係る事務処理基準」	承認事務基準
「社会福祉充実計画の承認等に関するQ&A（vol.2）」について	充実計画Q&A
社会福祉法人指導監査実施要綱	実施要綱
社会福祉法人モデル経理規程	モデル経理規程
障害者の日常生活及び社会生活を総合的に支援するための法律	障害者総合支援法
精神保健及び精神障害者福祉に関する法律	精神保健福祉法
特定非営利活動促進法	NPO法
法人税法	法法
法人税施行令	法令
租税特別措置法	租特法
所得税法	所法
消費税法	消法
消費税法施行令	消令
地方税法	地法
地方税法施行令	地令
登録免許税法	登法

社会福祉法人の運営と財務
（第２版）

序章　社会福祉の現状と課題

概　要

わが国の社会情勢は21世紀に入り急速に変化し，少子高齢化や介護の問題がクローズアップされるとともに，医療保険や年金といったわれわれの生活に密着する問題に対しても危機感が報じられている。1,000兆円を超える国の借金・国債や年金財源への不安視など，今後の社会生活に影響を及ぼし危惧を覚える問題でもある。また福祉財源に充てるための消費税増税など身近なところに現れてきている。そこで，社会福祉・社会保障について第2次大戦後からの制度の変遷を概観してみる。

社会福祉・社会保障については日本国憲法25条に規定されている生活権・生存権が根拠となっている。現在の社会福祉制度を概観することから，現在の制度がかかえる問題点を指摘し，解決のための施策についても触れることとする。社会福祉事業の中核を担うのは，社会福祉法人であるので，社会福祉法人の運営と財務の内容について2016年3月改正の社会福祉法を踏まえてつなげていく。

1　社会福祉の概要

第2次世界大戦後に緊急対策として求められたのは，引揚者や失業者などを中心とした生活困窮者に対する生活援護施策と劣悪な食糧事情や衛生環境に対応した栄養改善と伝染病予防であったといわれる。1946年に制定された日本国憲法25条に社会保障について定められ，生存権の根拠とされている。

> 第二十五条　すべて国民は，健康で文化的な最低限度の生活を営む権利を有する。
> 2　国は，すべての生活部面について，社会福祉，社会保障及び公衆衛生の向上及び増進に努めなければならない。

日本国憲法の理念に基づき，各分野における施策展開の基礎となる基本法の制定や体制整備が進められ，1946年に生活保護法が制定され，国家責任の原則，無差別平等の原則，最低生活保障の原則という3原則に基づく基本的な公的扶助制度が成立した。1947年に児童福祉法，1949年に身体障害者福祉法，1950年に生活保護法の改正，1951年に社会福祉事業法（現社会福祉法）が制定され，2016（平成28）年3月に新たな社会福祉法が成立している。

1950年に社会保障制度審議会が発表した「社会保障制度に関する勧告」では，社会保障制度を次のように規定している。「社会保障制度とは，疾病，負傷，分娩，廃疾，死亡，老齢，失業多子その他困窮の原因に対し，保険的方法又は直接公の負担において経済保障の途を講じ，生活困窮に陥った者に対しては，国家扶助によって最低限度の生活を保障するとともに，公衆衛生及び社会福祉の向上を図り，もってすべての国民が文化的社会の成員たるに値する生活を営むことができるようにすることをいうのである」。

「このような生活保障の責任は国家にある。国家はこれに対する綜合的企画をたて，これを政府及び公共団体を通じて民主的能率的に実施しなければならない。この制度は，もちろん，すべての国民を対象とし，公平と機会均等とを原則としなくてはならぬ。またこれは健康と文化的な生活水準を維持する程度のものたらしめなければならない。他方国民もまたこれに応じ，社会連帯の精神に立って，それぞれその能力に応じてこの制度の維持と運用に必要な社会的義務を果さなければならない」。日本国憲法25条にいう社会保障制度とは，健康で文化的な最低限度の生活を営む権利を保障するということであり，社会保険，公的扶助，社会福祉，公衆衛生・医療の4分野があるとされている。同2項では社会福祉，社会保障，公衆衛生が並列に記載されているが，社会福祉は社会保障の1分野として捉えられている。辞書的には，社会保障とは「社会保険などによって個人の病中・老後などの不安を除くこと」をいい，社会福祉とは「身体障碍者や児童，高齢者をはじめ，生活困窮者など弱い立場に在る人達に対する社会的保護」（新明解国語辞典）をいうと説明されている。日本の国家予算では，社会保障関係費の内訳の中に生活扶助等社会福祉費があることから社会福祉が社会保障の1分野として捉えられている〔平成29年度社会保障関係予算のポイント〕。

2 社会福祉制度

日本における福祉とは，一般的には福祉六法に定められる内容やそこから派生・関連した政策を指すが，社会保障制度審議会の分類によれば，主として社会保険・公的扶助・社会福祉・公衆衛生および医療・老人保健の5部門に分れており，広義では恩給，戦争犠牲者援護を加えている。

社会保険	医療保険，年金保険，労災保険，雇用保険，介護保険：各自が保険料を払い各種リスクを保障するというシステムであり，原則として強制加入である
公的扶助	生活に困窮する者にかぎり国が最低限の生活を保障し自立を助けるシステムが生活保護である
社会福祉	老人福祉，障害者福祉，児童福祉，母子福祉：社会生活をする上での弱者であったり，ハンディキャップをもっていたりするものを援助するシステムである
公衆衛生および医療	感染症対策，食品衛生，水道，廃棄物処理：健康な生活を国民ができるように，外因病や生活習慣病の予防や早期発見を目指すシステムである
老人保健	旧老人保健制度から，2008 年 4 月 1 日より後期高齢者医療制度に変更されている

日本での福祉は日本国憲法 25 条第 2 項（生存権）を保障する政策として取り組まれており，社会福祉は，慈善や相互扶助のみではなく，国の責任で向上・増進させるべきとの規定がなされている。

社会福祉政策の所管は厚生労働省であり，社会保障部分については同省の外局である社会保険庁が所管していたが，2008 年 10 月に政府管掌健康保険の事業運営を分離し，新しく全国健康保険協会が設立された。また，2010 年 1 月に公的年金の事業運営を行うため，新しく「日本年金機構」が設立された。日本の社会福祉の制度は，高齢者や児童，障害者など支援の対象者に応じてそれぞれの法律が制定されて，具体的に福祉サービスが定められており次のように整理される。

福祉六法	生活保護法／児童福祉法／母子及び寡婦福祉法／身体障害者福祉法／知的障害者福祉法／老人福祉法
その他の社会福祉に関連する法律	精神保健及び精神障害者福祉に関する法律／社会福祉法／介護保険法／障害者の日常生活及び社会生活を総合的に支援するための法律

高度経済成長期からバブル経済とその破綻，少子高齢化など，社会・経済の変化に対応して，2000（平成12）年には，戦後50年の間，社会福祉事業，社会福祉法人，福祉事務所などに関する基本的な枠組みを規定していた社会福祉事業法が「社会福祉法」に改正・改称され，個人の自立支援，利用者による選択の尊重，サービスの効率化などを柱とした新しい社会福祉の方向性が示された。

厚生労働大臣の諮問機関として社会保障審議会がある。厚生労働省発足に伴い，社会保障関連の8審議会を統合再編し2001（平成13）年に設置された。実質審議は，政令で決められた分科会と，必要に応じ設置される部会で行われる。分科会は，統計，医療，福祉文化，介護給付費，年金記録訂正，年金資金運用の分科会，さらに部会とそのほかに特別部会がある〔厚生労働省HP「審議会・研究会等」http://www.mhlw.go.jp/stf/shingi/indexshingi.html〕。

3 社会福祉に対するニーズの増大

今日では，少子・高齢化の進展，家庭機能の変化，障害者の自立と社会参加の進展に伴って，人々が有する福祉課題，ニーズも実に多様なものとなってきており，社会福祉に対する意識も大きく様変わりしている。また，現在の社会・経済情勢を背景にして，制度改革が進行していることもあり，社会福祉の各制度についても，従来の限定的な保護・救済にとどまるのではなく，国民全体を広く対象とし，国民生活の安定を支える基盤となることが期待され，また必要とされている。その中で特徴的な課題を取り上げる。

1. 人口問題

日本における社会福祉ニーズは急速に拡大しており，この傾向は将来にわたって継続するものと見込まれる。高齢化が他国に例をみないスピードで進展しており，わが国の人口を年齢3区分別にみると，15歳未満が13％未満，一方，65歳以上が25％以上となっている。総人口に占める65歳以上人口の割合（高齢化率）も増加し，2035年に33.4％，2060年には39.9％に達すると推計されている〔平成28年版高齢社会白書〕。また人口数でも15歳未満は，1975年以降下降し，65歳以上は，1950年以降上昇している。その結果，高齢者介護に対するニーズは今後さらに大きくなることが想定され，高齢者介護サービスを安定して提供し続けるための体制構築は，緊急の課題となっている。一方で，子供の絶対人数は減少しているのに対して，働く女性の増加により保育ニーズが増大していることも課題となっている。

少子高齢化の進展は，2015年では高齢者（65歳以上）1人を現役世代（20～64歳）2.3人で支えているが2060年には1.3人で支える比率になると想定される〔平成28年版高齢社会白書〕。社会保障給付も7割が高齢者に充てられ，高齢化による給付の増加が現役世代の負担を増やしているため，給付と負担のバランスの確保や世代間格差の是正が求められている。特定の世代の負担が加重にならないよう，バランスよく，現役世代，高齢世代，企業等が負担することが必要である。また，少子高齢化がいっそう進行する中で，特に，高齢者の就業機会の確保は，年金給付の増加抑制や年金依存度の緩和につながり，健康状態を就業可能に維持することも，医療費対策など予防重視の医療制度改革とも合致するとされている。

2. 財源問題

戦後社会における社会福祉サービスは，原則として公的財源を基礎に提供されてきた。しかしながら，公的債務が1,000兆円を超える状況において，公的財源に大きく依存して社会福祉サービスを提供し続けることが難しくなりつつあり，民間資源の有効活用と社会保障費の抑制が急務となっている。社会福祉法において「措置から利用契約へ」という変更が2003年から行われた。厚生労働省によれば，従来の行政が措置委託先と認めたところのサービスを利用する形（措置制度）から，利用者が自ら指定事業者を選び契約する形（支援費制度）への転換であり，選択の幅が広がり，利用者と提供者の対等な関係が構築できると説明されている。さらに，日本の人口の高齢化のスピードも速く，年々増大する高齢者医療や高齢者介護や老齢年金の財源をいかに確保するかが大きな課題となっている。

社会保障に関して国民が負担する税・保険料の総額の増加，また，社会保障に要する国の負担も増加し，巨額な財政赤字の下では，社会保障給付を賄うための公費を含め，負担は将来世代に先送りされている。社会保障の給付について見直しを行い，必要な給付に対する公費負担については，将来世代に先送りすることがないよう，安定的な財源の確保が必要とされており，消費税率の引き上げを含む税制改革とともに，各世代における公平な負担を図ることが重要である。

3. 人材問題

福祉人材の供給不足問題がある。介護保険法制定後，特に高齢者福祉ではケアマネージャーなどの資格保有者へのニーズが高まっているが，労働条件が非常に悪い（いわゆる3K「労働内容が厳しい」「不規則な勤務時間」「低賃金・給料が安い」）職場であり，離職率が高く，賃金水準も十分ではないといわれる。

高齢者福祉施設は高齢化により施設数が多く，特に高齢者福祉分野は民間企業が参入しやすく，介護職や看護職については派遣業に対する求人数も多いが，一方，行政機関か社会福祉法人主体のものとなる児童・障害施設は施設数が不足している。児童・障害分野は，特に待機児童解消のための配置人員の不足が指摘されている。また，専門職である介護福祉士でも，他業種に比べ転職率が高くなっている。勤務形態が変則で拘束時間が長くなること，人件費の抑制や基準人員確保のため非正規雇用が多いこと，利用者および周囲の関係者との信頼関係の構築や連絡調整に労力を要するなどの理由が考えられる。

4 社会福祉課題への対応と地域社会の役割

社会保障制度改革については，2004年7月に「社会保障の在り方に関する懇談会（内閣官房長官主宰）」が，社会保障制度を将来にわたり持続可能とするため，制度全般について，税，保険料等の負担と給付の在り方を含め，一体的な見直しを行う必要があるとの問題意識の下で議論を開始し，2006年5月に「今後の社会保障の在り方について」が「骨太の方針2006」に盛り込まれた。2007年には社会保障国民会議が設置され，また同年の「日本経済の進路と戦略（経済財政運営の中期方針）」（閣議決定）において，持続可能で信頼できる社会保障制度の構築のため，自助・共助・公助の適切な役割分担の下，世代間の公平を図るとともに，サービスの質の維持向上を図りつつ，効率化等により供給コストを低減させていくとされた。

2013年の社会保障国民会議最終報告においては，社会保障の機能強化の充実のためには，2025年度には消費税率換算で+5～12%の財源が必要との最終報告がなされている。2014年4月から消費税等が8%に引上げられ，次いで10%となる。

居住地域における現状の社会福祉制度では十分に対応しきれない生活福祉課題について，生活領域に限定してみると，貧困や社会的孤立，虐待，

DV などが生じている。これらの課題は複合的かつ複雑な要因を背景としているといわれ，克服には総合的な相談支援体制の構築等が必要となっている。このような生活面での弱者の支援体制の強化を図るために，「生活困窮者自立支援法」が成立している。

なによりも，身近な市町村でのサービス基盤を構築していくことが大きな課題である。さらに，核家族化や少子高齢化，経済・社会格差の拡大といった変化に伴い，福祉ニーズは増加・多様化している。対応策として，社会福祉サービスの提供主体として民間法人の参入が進められており，イコールフッティングのように，今後よりいっそう，民間による自由な競争を促す政策対応が進むと考えられる。

社会福祉法人制度を取り巻く状況の変化について，社会福祉法人の在り方等に関する検討会が2014年7月4日に公表した「社会福祉法人制度の在り方について」によると，社会情勢・地域社会の変化についての指摘がある。急速な少子高齢化の要因として，2005年前後から人口減が進み，平成20年代には団塊の世代が高齢化を迎え，65歳以上の高齢者数は，2042年には3,878万人とピークを迎えると予測されている。また，75歳以上の高齢者の全人口に占める割合も増加し，2055年には，25％を超える見込みとなっている。

終身雇用制度が崩れ，特に若年層を中心に，就職困難者（失業者や非正規雇用労働者）が増加し，現役世代にも社会保険や福利厚生などの支えが得られ難い傾向にある。

公的な福祉サービスは，分野ごとに充実してきたが，現在では，例えば単身高齢者に対する見守りや支援など，制度によるサービスだけでは対応できない課題（制度の狭間の課題）も顕在化している。

このような課題は，従来は家族や地域による相互扶助により対処されてきていたが，若年層を中心に地方の過疎化と都市へ集中，家族や地域ぐるみのつながりの希薄化など，地域の助け合い機能は縮小してきている。

なお，2016（平成28）年3月に成立した改正社会福祉法（以下「法」または「現行法」という）の趣旨は「福祉サービスの供給体制の整備及び充実を図るため，社会福祉法人の経営組織の見直し，事業運営の透明性の向上及び財務規律の強化，介護人材の確保を推進するための取組の拡充，社会福祉施設職員等退職手当共済制度の見直し等の措置を講ずること」とされた。この法律は2017（平成29）年4月1日から施行されたが，社会福祉法人の福祉サービスを提供するにあたっての責務（法24条第2項），特別な利益供与を禁じた財務規律の強化（法26条の2）および社会福祉法人の事業運営の透明性の向上のための開示情報の充実（法59条の2）などは2016（平成28）年4月1日施行されている。さらに2016（平成28）年11月には関係する厚生労働政省令が改正公布され，2017（平成29）年4月1日以降，ガバナンス機能の強化のため社会福祉法人の経営組織の見直し（法36条から45条の22），報酬等の支給基準の公表や社会福祉充実計画などの財務規律強化（法45条，55条の2，59条の2）がなされている。

第1章 社会福祉法人の基礎知識

概要

序章では，社会福祉の基本的なよりどころである憲法から始まり，制度の進展，社会福祉ニーズの変化と増加を取り上げた。

第1章では，社会福祉の中で，サービスを提供する側である社会福祉法人の内容について2016（平成28）年3月に改正成立した社会福祉法を根拠として2017（平成29）年4月1日以降に適用されている基本的な知識を整理する。社会福祉とは，国民のセーフティ・ネットとして機能しなければならないものである。現役世代の今後のライフ・プランやキャリア・パスを考える上でも避けて通るわけにはいかない。

厚生労働省を所轄として，さまざまな施策が講じられてきているが，まだ十分とはいえない。しかし，これらの機能の重要な一翼を担うのが社会福祉法人である。そのためには，社会福祉法人について，運営を担っている関係者や現在の利用者あるいは将来利用することになる潜在的な利用者さらには広く利害関係者にとって，十分に知ることが重要である。社会福祉法人の，ガバナンスを含む経営状況やサービス内容について，情報開示が進んできていることもあり，その内容について特に会計的な側面からアプローチして，理解を進めていくことが必要であり，社会福祉法人に関連する基本的な組織や機能についてを解説する。

1　社会福祉事業の担い手

社会福祉あるいは社会福祉事業の担い手（主体）は，国や地方自治体に限定されるわけではない。身近なところからみていくことにする。

■ 社会福祉を取り巻く担い手 ■

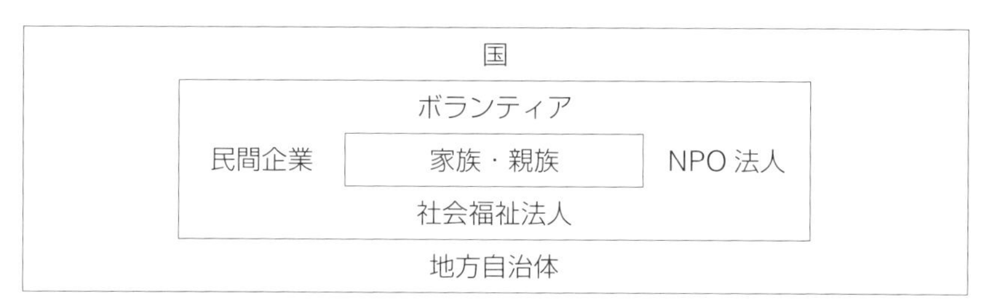

1. 担い手

① 家族・親族：まず，身近なところを考えると，家族があげられる。例えば，寝たきりになってしまった場合のサポートを親族が行うケースがある。認知症や介護といった問題，育児・子育てに奮闘する姿は大変であるが，これを身近なものだけに任すのではなく，周辺の地域が支えていく必要がある。

② 民間企業：より高いサービスを求める場合や，公的サービスで不足する部分を補うのが株式会社等の民間企業によるサービスの役割といえる。

③ ボランティア：ボランティアは「自由意思をもって社会事業・災害時の救援などのために無報酬で働く人」（新明解国語辞典）と辞書的には説明され，自主性・社会事業への参加・無償の活動を含むものになる。

例えば，視覚障がい者の方の社会参加のために，歩行訓練などを行う場合，この訓練をサポート・アシストするのがボランティアであったり，NPO 法人の職員であったりする。ボランティアは主に NPO 法人などで活動している。

④ NPO 法人：営利を目的としない組織（市民団体）をいい，「イジメ」・「不登校」・「ヒキコモリ」などの支援や，「高齢者の介護」・「介護する人の育成」など，法律で定められている分野に該当していれば，一定の条件を満たせば，NPO 法人を設立し，活動する事が可能となる。

2. 社会福祉法人

戦後から約半世紀にわたり，行政の責務としての本来行われるべき福祉サービス事業を，行政主導の措置委託という形で社会福祉法人に委託し，委託を受けた社会福祉法人が福祉サービスを提供する仕組として続いてきていた。しかし，このような社会福祉活動の形式化や社会情勢の変化に対応した見直しが求められ，社会福祉基礎構造改革へと至ることになった。今日では，社会福祉法人以外の営利法人を含む多様な経営主体の福祉サービス事業への参入が促進され，利用者が選択して契約するという一般市場と同じ競争原理の導入によって福祉サービスの質と量の向上が期待されている。その結果，社会福祉サービスが充実していくかどうか，今後注視していく必要がある。

社会福祉法人は，社会福祉に関する事業を行うことのできる法人である。社会福祉事業のみを行うことを目的として社会福祉法の規定（法 22 条）により設立された法人で，公共性が高く営利を目的としない民間の法人であるが，付随する収益事業等を行うことは認められている。その公益性の高さから，設立後も所轄庁等の監督下に置かれる一方で，補助金の交付や税制面での優遇措置（医療保険業の法人税非課税，固定資産税の非課税等）がなされるなど，健全な経営を行うための制度が整備されている。特別養護老人ホームや私立の認可保育所などは社会福祉法人として認可されているケースがほとんどである。

2 社会福祉法人をめぐる制度

今まで社会福祉法人は，福祉サービスを提供する事業者の中核としての役割を果たしてきていた。また，今後も必要とされるものであるが，福祉事業へは多様な事業主体（経営主体）の参入が図られている。例えば，法人格を取得しやすいようにNPO法（特定非営利活動促進法）が制定され，2016（平成28）年9月末現在，全国で約5万のNPO法人（特定非営利活動法人）が認証されており〔www.npo-homepage.go.jp/about/toukei-info/ninsho-bunyabetsu〕，地域福祉への貢献が期待されている。また公益法人制度改革により，法人設立の困難さを軽減して公益性の認定を明確化するという新しい公益法人制度も2008（平成20）年から施行されている。

社会福祉法人がこれまで担ってきた役割は大きく，その役割部分は今後も必要であると考えられる。しかし福祉事業の担い手を増やすという発想から，新たな法人格を付与した法人を創設するとすれば，社会的な位置づけはどのようにするのか，単に制度を複雑化させ，公的責任を後退させるようなことなく，社会福祉事業についての責任の所在を明確にしていく必要があると思われる。

社会福祉法人の問題として，内部留保やイコールフッティングがあげられるが，社会福祉法人が質と量の両面で継続的かつ安定的に望ましい福祉事業サービスを展開していくことに密接に関連していくという認識に立って考えていく必要がある。現行法における，社会福祉法人の設立認可の条件〔「社会福祉法人の認可について」の一部改正について〕として，事業の種類・資産の状況・役員等（評議員または役員）・専門家の活用の促進等〔社会福祉法人審査基準〕があるが，特に社会福祉法25条に規定する必要な資産を備えなければならないという要件が重要である。社会福祉法人は営利組織とは異なり，見返りを求めることなく，資産をなげうって設立する事業組織のためである。特に，社会福祉事業は，非営利性と公共・公益性を踏まえたものであり，採算に合わなければ撤退すればよいというような安易な事業ではないという特徴をもっている。

継続的かつ安定的な事業運営には，人材の確保が求められているが，この点は他の営利企業による経営と同じとはいかない。それは本来，公的に実施すべき事業であり，措置制度が前提となっていたはずである。国レベルの権限や財源が地方分権ということで，地方自治体へと移行し，通常の市場原理では機能しにくい社会福祉事業に対して地方自治体での取り組みには格差が当然生じると想定される。このような格差是正には国レベルでの指導力が問われることになる。社会福祉法人の福祉事業において，「措置」から「契約」への制度の転換をどう受け止め，事業展開をしていくかが，社会福祉法人としての重要課題である。この課題は，単に社会福祉法人だけの課題ではなく，社会福祉の問題は社会保障の問題と切り離しては考えられないため，国家的な課題として社会福祉法人の位置づけをどう考えるかということになる。社会福祉基礎構造改革の趣旨は，弱者の保護の福祉サービスから出発したが，国民全体を対象として考えなければならないとしても，従来通りの弱者の保護や支援も含んでいることを切り捨てることはできない。

福祉サービスの供給体制の整備および充実を図るため，社会福祉法人制度について経営組織のガバナンスの強化，事業運営の透明体の向上等を進め，介護人材の確保推進と社会福祉施設職員等退職手当共済制度の見直しの措置を講ずるため，社会福祉法の改正趣旨を踏えることが求められている。

3 社会福祉法人をめぐる法令

社会福祉法人をめぐる法令の基本となるのは社会福祉法である。社会福祉法の目的は１条に以下のように定められている。

> この法律は，社会福祉を目的とする事業の全分野における共通的基本事項を定め，社会福祉を目的とする他の法律と相まって，福祉サービスの利用者の利益の保護及び地域における社会福祉（以下「地域福祉」という。）の推進を図るとともに，社会福祉事業の公明かつ適正な実施の確保及び社会福祉を目的とする事業の健全な発達を図り，もつて社会福祉の増進に資することを目的とする。

社会福祉法は日本の社会福祉の目的・理念・原則と対象者別の各社会福祉関連法に規定されている福祉サービスに共通する基本的事項を規定した法律である。2000 年５月に改正成立した社会福祉法が 2016 年３月に大きな改正が行われている。社会福祉法人に関係する内容は，指導監督（第五章），社会福祉法人（第六章），地域福祉（第十章）に関する規定などとなる。特に第六章の，機関，計算，社会福祉充実計画など多くの条文が制定・改正された。さらに 2017（平成 29）年４月からの施行に合わせて，政省令が改正整備（平成 28 年 11 月）され，機関として社会福祉法人について公益性を担保できる経営組織とした。

1. 経営組織のガバナンスの強化

① 理事・理事長に対する牽制機能の発揮，理事等の選任・解任や役員報酬の決定など重要事項を決議議決機関としての評議員会を必置，役員（理事および監事）（法 31 条第１項６号）・理事会・評議員会の権限・責任に係る規定の整備，親族等特殊関係者の理事等への選任の制限に係る規定の整備

② 財務会計に係るチェック体制の整備として一定規模以上の法人（特定社会福祉法人）への会計監査の導入

2. 事業運営の透明性の向上

① 財務諸表の公表等について法律上明記，閲覧対象書類の拡大と閲覧請求者の国民一般への拡大，財務諸表・現況報告書（役員報酬総額，役員等関係者との取引内容，社会福祉充実残額を含む）・役員報酬基準の公表に係る規定の整備

3. 財務規律の強化

① 適正かつ公正な支出管理の確保，役員報酬基準の作成と公表，役員等関係者への特別の利益供与の禁止

② 内部留保の明確化，純資産から事業継続に必要な財産の額を控除し福祉サービスに再投下可能な財産額（社会福祉充実残額）を明確化

③ 社会福祉事業等への計画的な再投資，再投下可能な財産額がある社会福祉法人に対して，社会福祉事業または公益事業の新規実施・拡充に係る計画の作成を義務付け

4. 地域における公益的な取組を実施する責務

① 社会福祉法人の本旨に従い他の主体では困難な福祉ニーズへの対応を求め，社会福祉事業または公益事業を行うにあたり，生活上の要支援者に対し，無料または低額の料金で福祉サービスを提供することを責務として規定

5. 行政の関与の在り方

① 所轄庁による指導監督の機能強化，都道府県の役割として，市による指導監督の支援を位置付け，経営改善や法令遵守について，柔軟に指導監督する仕組み（勧告等）に関する規定を整備

② 国・都道府県・市の連携を推進，都道府県による財務諸表等の収集・分析・活用，国による全国的なデータベースの整備

4 社会福祉法人経営における ガバナンスの確立

社会福祉法人においても経営におけるガバナンスの確立（法人の組織の在り方，透明性の確保など）についても当然求められるものである。

1. ガバナンスを確立するポイント

全国社会福祉施設経営者協議会は「アクションプラン 2015」（平成 23 年 7 月 1 日）を策定し，社会福祉法人に具体的行動が求められる 16 の取組課題を「社会福祉法人行動指針」として整理した上で，その 1 つにガバナンスの確立をあげている。基本的な考え方は，事業を積極的に推進し，経営に対する適切な牽制機能をもった取組を実践するとしている。さらに，社会的ルールの遵守と社会に対する説明責任を果たす観点から，ガバナンスを確立するポイントとして次の 4 つが示されている。

① 組織機能の強化：理事会，評議員会，理事，監事および評議員が各々の役割を認識し，法人経営と各事業経営のチェック機能，各機関間（理事会，監事，評議員会）の相互牽制機能の強化を意図した組織づくりに努める。なお，評議員会については，設置が義務化されていない場合であっても，経営の透明性と相互牽制機能を向上させるために設置することが望ましい。

② 業務執行機能の強化：理事および理事長は，法人本部機能の強化をはじめとして法人経営および事業経営が良好に進展するような執行体制の機能を強化する。

③ 内部統制機能の強化：内部統制が正しく機能しているかを法人組織内部でチェックする「業務管理体制」を整備し，これが実効あるものになるよう努める。体制の構築整備は経営者が行うべきものであり，実効性があるものにするためには内部でのモニタリングが必要となる。

④　事業経営の透明性の確保：外部監査の積極的活用などにより，事業，財務に関する外部からのチェックを行い，基本的にすべての法人が財務状況を明らかにすることが求められている。

2. 法改正によるガバナンスの強化

福祉サービスの供給体制の整備および充実を図るため社会福祉法人制度について評議員会の設置の義務化などを含めた経営組織のガバナンスの強化を盛り込んだ社会福祉法が改正された。

■ 社会福祉法人の経営組織のガバナンス強化について ■

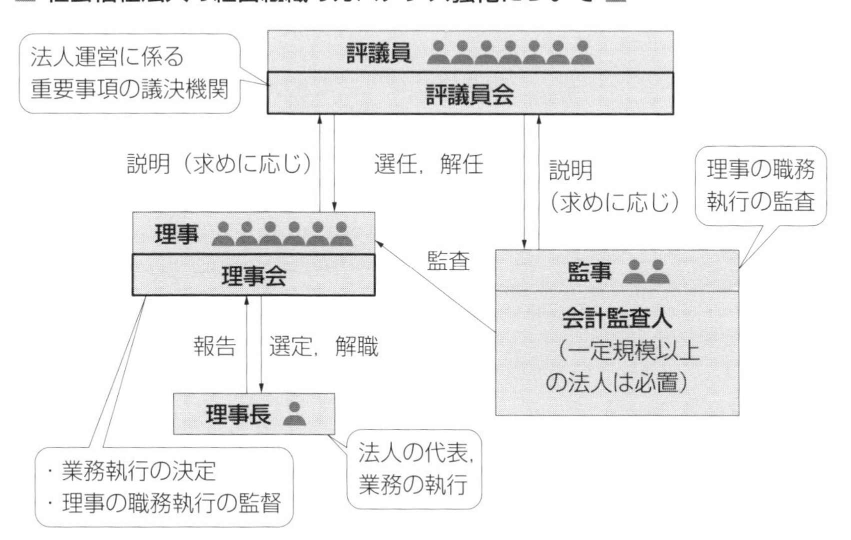

出所：厚生労働省社会・援護局福祉基盤課「社会福祉法人制度改革の施行に向けた全国担当者説明会資料」（平成 28 年 7 月 8 日）http://www.mhlw.go.jp/file/06-Seisakujouhou-12000000-Shakaiengokyoku-Shakai/0000130019.pdf より作成。

5 社会福祉法人の経営の在り方(1) 評議員等

社会福祉法人の組織について，現行法では公益性を担保できるようガバナンスの強化の観点から社会福祉法第六章に社会福祉法人が規定されており，3節機関に従ってみていくこととする。ガバナンス改革の中核となる評議員の資格，職務および責任ならびに評議員，評議員会の権限に関する整備が行われている。

1. 社会福祉法人の定款

社会福祉法人の定款は法人の根本の規範であり，当該社会福祉法人に関する事項を記載しておく。記載事項には，必要的記載事項・相対的記載事項・任意的記載事項がある。

① 必要的記載事項は，該当する事項を必ず記載しなければならない事項であり，1つでも記載が欠けるとされないと，定款の効力が生じない事項である。

必要的記載事項（法31条第1項各号） 法人の目的・名称・事業の種類・所在地・評議員及び評議員会に関する事項・役員（理事及び監事）の定数その他役員に関する事項・理事会に関する事項・資産に関する事項・会計に関する事項・解散・定款の変更・公告などである。

② 相対的記載事項は，記載がなくても定款の効力に影響はないが，法令上定款の定めがなければその効力を生じない事項である。具体的には評議員の補欠の任期（法41条第2項），役員の任期の短縮（法45条），評議員会の決議事項の追加（法45条の8第2項），理事会による役員責任免除・責任限定契約（法45条の20第4項），評議員会の出席割合および決議割合の変更（法45条の9第6項・第7項），理事会の出席割合および決議割合の変更（法45条の14第4項）などである。

③ 任意的記載事項は，法令に違反しない範囲で記載することができる事項であり，記載がなくても定款の効力に影響はないが，記載したものを変更するには，定款変更手続きが必要となる。例えば，経営の原則等（定款例3条）や施行細則（定款例42条）などがある。

定款については，所轄庁の認可が必要であり，法令に違反していないかを審査して，当該定款の認可を決定しなければならない（法31条第1項，32条）。さらに定款の変更には評議員会の決議が必要で，さらに定款の変更の効力は所轄庁の認可が必要になる（法45条の36）。したがって，今回の法改正により評議員等に関する定款の変更が必須となり，変更後に所轄庁の認可が必要となった。

2. 評議員と評議員会

評議員会は従来の任意の諮問機関では理事等に対する牽制機能が十分ではないといわれていた。そこで社会福祉法人は，法人運営の基本ルール・体制を決定し監督を行う必置の重要事項議決機関として評議員会を置くもの（法36条）とした。

■ 評議員会における法定決議事項 ■

①定款の変更（法45条の36第1項）
②理事・監事・会計監査人の選解任（法43条，法45条の4）
③理事・監事の報酬（法45条の35第1項・第2項）
④計算書類の承認（法45条の30第2項）
⑤社会福祉充実計画の承認（法55条の2第7項） の決定等を示している

評議員会は，すべての評議員で組織し（法45条の8），評議員は，社会福祉法人の適正な運営に必要な識見を有する者のうちから，定款の定めにより選任し（法39条），法人や成年被後見人または被保佐人等の一定の要件に該当する者は評議員となることができない（法40条）。つまり役員の選任・解任等を通じ，事後的に法人運営を監督する機関として位置付けられる。従来の評議員会に諮問されていた業務執行に関する事項についての意思決定は理事会で行うこととなり，評議員会の決議事項は法定事項および定款で定めた事項に限定され（法45条の8第2項），法定での評議員会決議事項について，理事，理事会その他の評議員会以外の機関が決定可能とする定款の定めは効力を有しない（法45条の8第3項）。なお，評議員の選任および解任の方法については，法人が定款で定める（法31条第1項5号）こととしており，理事または理事会が評議員を選任・解任する旨の定めは無効（法45条の8第5項）とされている。

定款で定める方法としては，法人関係者でない中立的な立場にある外部の者が参加する機関（例えば選解任委員会）を設置し，この機関の決定に従って行う方法などが考えられる。評議員の選任については，従来の定款を2017（平成29）年3月末までに変更し，認可後に行うこととなった〔社会福祉法人制度改革の施行に向けた留意事項について（経営組織見直しについて）〕。

定款例（抜粋）　評議員の選任及び解任

第6条　この法人に評議員選任・解任委員会を置き，評議員の選任及び解任は，評議員選任・解任委員会において行う。

2　評議員選任・解任委員会は，監事○名，事務局員○名，外部委員○名の合計○名で構成する。

3　選任候補者の推薦及び解任の提案は，理事会が行う。評議員選任・解任委員会の運営についての細則は，理事会において定める。

4　選任候補者の推薦及び解任の提案を行う場合には，当該者が評議員として適任及び不適任と判断した理由を委員に説明しなければならない。

5　評議員選任・解任委員会の決議は，委員の過半数が出席し，その過半数をもって行う。ただし，外部委員の○名以上が出席し，かつ，外部委員の○名以上が賛成することを要する。

評議員の選任方法は法人の理念や経営状況を理解した上で中立的な立場から審議できる者を評議員として選任することが重要であり，この視点から評議員の選任を可能とする運用となる。具体的には①理事会による評議員選定委員会の設置，②理事会による評議員候補者の推薦，③理事会による推薦理由の説明（経歴，役員等との関係を含む），④選定委員会による審議・決議となる。

なお，評議員は7人以上選任することが必要（法40条第3項，44条第3項）であるが，評議員会の必置について，法人の事業規模を考慮し，一定事業規模を越えない法人は施行から3年間，評議員の定数を「4人以上」とする経過措置（法附則10条）が定められている。この定数の特例の対象とする社会福祉法人の基準については，平成27年度決算の事業活動計算書におけるサービス活動収益が4億円（政令4条第1項）としている。

また評議員の資格等として親族等の特殊の関係のある者が含まれていけない（法40条第4項・第5項，施規2条の7，2条の8）。

3. 評議員等の報酬

理事，監事および評議員の報酬等について支給の基準（役員報酬基準）を省令（2条の42）で定める事情を考慮して，不当な額とならないよう定める（法45条の35）。具体的に，評議員の報酬は定款で，理事および監事の報酬は定款に定めがないときは，評議員会の決議によって定める。監事の報酬が定款または評議員会の決議により総額のみ決定されている場合の具体的な配分は，監事の協議（全員一致の決定）による。理事，監事および評議員の区分ごとの報酬総額は，2017（平成29）年度以降の現況報告書に記載し，公表する（法59条の2，施規10条第1項・第3項）。また会計監査人の報酬は，監事の過半数の同意が必要である。なお，無報酬の場合はその旨定めることとなる。

6 社会福祉法人の経営の在り方(2) 理事会・理事長・理事

理事会による理事・理事長に対する牽制機能が従来制度化されておらず，また理事・理事長の役割権限の範囲が明確ではなかった。現行法では理事会を業務執行に関する意思決定機関として位置づけ，理事・理事長に対する牽制機能を働かせるとしている。理事会はすべての理事で組織し，理事会の権限等として，1）社会福祉法人の全ての業務執行の決定，2）理事の職務執行の監督，3）理事長の選定および解職を行うこととなる（法45条の13第2項各号，45条の13第3項）。また理事等の義務と責任を法定し，法人においては，1）重要な財産の処分および譲り受け，2）多額の借財，3）重要な役割を担う職員の選任および解任，4）従たる事務所その他の重要な組織の設置，変更および廃止など重要な業務執行の決定を理事に委任することができない（法45条の13第4項各号）。これは，一部の理事による専横や複数の理事が法人の運営を巡って対立し，それぞれ独自に決定するといった混乱した事態が生ずるのを避けるためである。

理事長は，理事会の決定に基づき（法45条の13第2項1号），法人の内外の業務執行権限を有する（法45条の16第2項1号）。具体的には，理事会で決定した事項を執行するほか，上記法で定める事項以外の理事会から委譲された範囲内で自ら意思決定し執行する。対外的な業務執行をするため法人の代表権を有する（法45条の17第1項）。理事長は，3ヶ月に1回以上（定款で，毎会計年度に4ヶ月を超える間隔で2回以上とすることが可能），自己の職務の執行の状況を理事会に報告しなければならない（法45条の16第3項）。これは，理事会による理事長の職務の執行の監督の実効性を確保するためである。

理事長以外にも社会福祉法人の業務を執行する理事（いわゆる業務執行理事）を理事会で選定することができる（法45条の16第2項）が，業務執行理事には代表権はないため，対外的な業務を執行する権限はない（法45条の17第2項）。業務執行理事は，理事長と同様に自己の職務の執行の状況を理事会に報告しなければならない（法45条の16第3項）。

理事長および業務執行理事以外の理事は，理事会における議決権の行使等を通じて，法人の業務執行の意思決定に参画するとともに（法45条の13第2項1号），理事長や他の理事の職務の執行を監督（法45条の13第2項2号・3号）する役割を担うこととなる〔社会福祉法人制度改革の施行に向けた留意事項について（経営組織の見直しについて）〕。理事には，理事本人を含め，その配偶者および三親等以内の親族その他と特殊の関係にある者が理事総数の1/3を超えて含まれてはならないこととする。ただし，各理事の配偶者および三親等以内の親族その他以下の各理事と特殊の関係にある者の上限は3人である（法44条第7項，施規2条の10）。

■ **評議員会，理事会，評議員選任・解任委員会の関係** ■

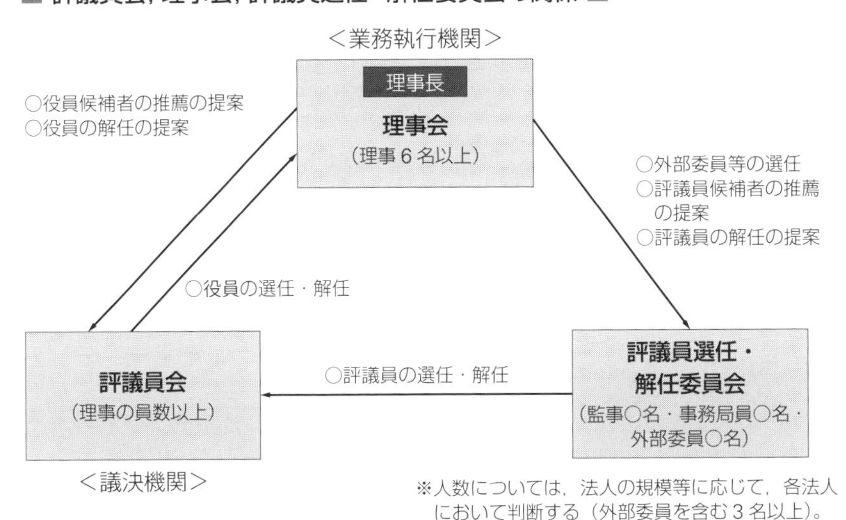

出所：厚生労働省社会・援護局福祉基盤課「社会福祉法人制度改革の施行に向けた全国担当者説明会資料」（平成28年7月8日）http://www.mhlw.go.jp/file/06-Seisakujouhou-12000000-Shakaiengokyoku-Shakai/0000130019.pdf

7 社会福祉法人の経営の在り方(3) その他の機関等

1. 監　事

監事については，従来監督機能が十分ではなかったが，現行法では，理事の職務の執行を監査するために，各種の権限が付与され，また義務が課される。権限・義務（理事会への出席義務・報告義務等）・責任を法定し，理事の職務の執行を監査し監査報告を作成すること，いつでも理事・職員に対する事業報告の要求，法人の業務および財産の状況の調査権が与えられている（法45条の18）。監事には，社会福祉事業と財務管理について識見を有する者が含まれなければならない（法44条第5項）。監事が複数でも，その権限は各監事が独立して行使でき，義務は各監事がそれぞれ負う。また業務の性質上，法人の業務執行から独立性を担保保証する必要があることから，各役員の配偶者または三親等以内の親族その他と特殊の関係がある者が含まれてはならない（法44条第7項，施規2条の11）。

2. 会計監査人（公認会計士または監査法人）

社会福祉法人は，定款の定めにより会計監査人を置くことができるが，事業規模が政令（社令13条の3）で定める基準（当該基準は段階的に対象範囲を拡大していく予定）を超える一定規模以上の社会福祉法人（特定社会福祉法人）は，会計監査人が必置となる（法37条）。会計監査人は公認会計士または監査法人（法45条の2）で，法人の計算書類およびその附属明細書を監査し，会計監査報告を作成する（法45条の19）。会計監査人設置法人の計算書類等は理事会の承認前に監事と会計監査人双方の監査を受けることになるが，会計監査人監査が適正な場合，監事は計算書類等の監査を省略できる。

会計監査人非設置法人でも，その事業規模や財務会計に係る事務態勢等に即して，公認会計士等の会計専門家を活用することが考えられ〔社会保障審議会福祉部会報告書～社会福祉法人制度改革について～〕，財務会計に関する事務処理体制の向上や財務会計に関する内部統制の向上への支援等が期待される。

3. 役員等と法人の関係

法人と役員等（法人の理事，監事，会計監査人および評議員）は，委任（法38条）の関係にあるため民法の規定で善管注意義務を負う。勤務形態や報酬にかかわらずその職責に応じた注意義務が求められる。

■ 理事，監事，会計監査人，評議員と法人の関係 ■

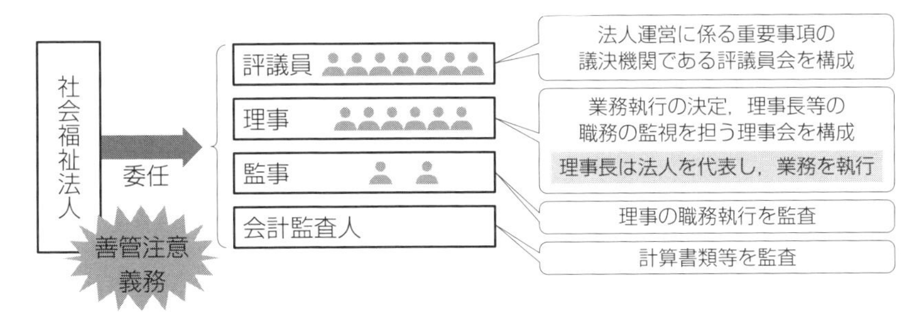

出所：厚生労働省社会・援護局福祉基盤課「社会福祉法人制度改革の施行に向けた全国担当者説明会資料」（平成28年7月8日）http://www.mhlw.go.jp/file/06-Seisakujouhou-12000000-Shakaiengokyoku-Shakai/0000130019.pdf

なお，理事および監事には評議員会において評議員から特定事項について説明を求められた場合には当該事項について説明義務がある（法45条の10）。またその業務の性質上，法人の業務執行から独立性を担保保証する必要があり，各人の配偶者または三親等以内の親族その他と特殊の関係がある者が含まれてはならない（法44条第7項，施規2条の11）。

8 法人運営形態の多様化

1. 社会福祉法人の問題

「社会福祉法人経営の現状と課題」(平成18年8月) によれば，社会福祉法人経営の在り方について，「施設管理」から「法人経営」へ転換し，効率的で健全な法人経営（ガバナンス）の確立が必要であることが指摘されている。さらに，長期安定資金を確保するため，従来の「施設単位」の「規制」と「助成」に規定された経営から，「法人単位」の「自立と責任」が伴う，先見性のある経営が求められている。さらに，社会福祉法人の経営状況について，財務情報を中心に透明性を確保することについての要請が高まり，財務諸表の閲覧等が法定化された。「日本再興戦略―JAPAN is BACK―」(平成25年6月14日閣議決定) では，社会福祉法人の財務諸表の公表推進により透明性を高めることが当面の主要施策として掲げられた。現行法では，社会福祉法人の事業運営の透明性の向上のため，定款，計算書類，事業の概要を記載した書類等をインターネットの利用等により公表しなければならない（法59条の2）とし，閲覧対象者を利害関係者から国民全体に拡大している。また行政の関与として，都道府県知事は，社会福祉法人の活動状況等の調査分析を行い，統計等資料を作成し内容を公表するとともに厚生労働大臣に報告する（法59条の2第2項)。さらに，厚生労働大臣は，上記情報に係るデータベースの整備をはかり，国民に迅速に提供できるよう必要な施策を実施する（法59条の2第5項)。

2. 社会福祉協議会

「社会福祉協議会（社協)」(法109条から111条) は，民間の社会福祉活動を推進することを目的とした営利を目的としない民間組織であり，社会福祉法に基づきすべての都道府県・市町村に設置され，地域住民や社会福祉関係者（民生委員・児童委員，保健・医療・教育など関係機関等）の参加・協力のもと，地域の人びとが住み慣れたまちで安心して生活することのできる福祉推進の中核としての役割を担っている。

最も身近な地域で活動しているのが市区町村社会福祉協議会（市区町村社協）（法109条第1項）である。高齢者や障害者の在宅生活を支援するために，ホームヘルプサービス（訪問介護）や配食サービスをはじめ，さまざまな福祉サービスを行っている。また，多様な福祉ニーズに応えるため，各社協が地域特性を踏まえた創意工夫により独自の事業に取り組んでいる。

都道府県社会福祉協議会（都道府県社協）（法110条）は，県域での地域福祉の充実をめざした活動を行っており，日常生活自立支援事業・ボランティア活動の振興・福祉の仕事に関する求人・求職情報の提供などを市区町村社協と連携して実施している。さらに，福祉サービスに関する苦情の相談の受け付け，中立の立場から助言などを行うことにより問題の解決を図り，事業者の適正な事業運営とサービス利用者の支援に向けた取り組みを進めている。さらに，福祉サービスの質の向上を図るための第三者評価事業にも取り組んでいる。なお，指定都市では，指定都市社会福祉協議会が，都道府県社会福祉協議会に準じた活動を行っている。

全国社会福祉協議会（全社協）は，中央組織として，都道府県社会福祉協議会の連合会（法111条）として，全国段階の社会福祉協議会として設置されている。全国の社協とのネットワークにより，福祉サービス利用者や社会福祉関係者の連絡・調整や活動支援，社会福祉の各種制度の改善への取り組みなど，わが国社会福祉の増進に努めているほか，アジア各国等の社会福祉への支援など福祉分野の国際交流にも努めている。

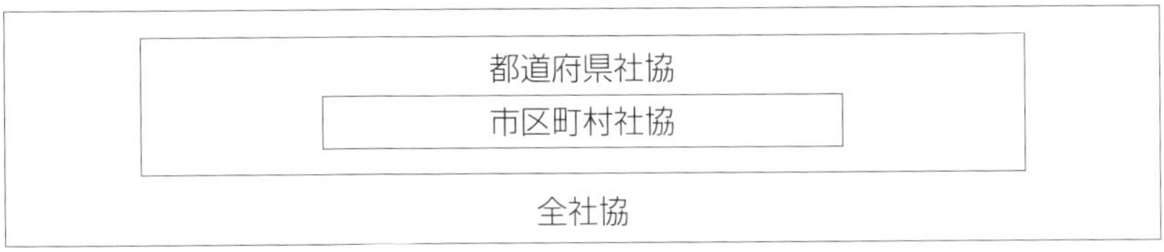

都道府県社協
市区町村社協
全社協

9 福祉サービス事業の多様な経営主体

社会福祉法における経営主体については，法60条で定められおり，社会福祉事業のうち，第一種社会福祉事業は，国，地方公共団体または社会福祉法人が経営することを原則としている。また，国，地方公共団体，社会福祉法人その他社会福祉事業を経営する者は，次に掲げるところに従い，それぞれの責任を明確にしなければならない（法61条）。

> 一　国及び地方公共団体は，法律に基づくその責任を他の社会福祉事業を経営する者に転嫁し，又はこれらの者の財政的援助を求めないこと。
> 二　国及び地方公共団体は，他の社会福祉事業を経営する者に対し，その自主性を重んじ，不当な関与を行わないこと。
> 三　社会福祉事業を経営する者は，不当に国及び地方公共団体の財政的，管理的援助を仰がないこと。
> 2　前項第一号の規定は，国又は地方公共団体が，その経営する社会福祉事業について，福祉サービスを必要とする者を施設に入所させることその他の措置を他の社会福祉事業を経営する者に委託することを妨げるものではない。

また法62条では施設の設置「社会福祉施設」の届け出義務を定めている。なお，社会福祉事業のうち，施設を必要としない第一種社会福祉事業を開始したときは，国および都道府県以外の者は，事業開始の日から1ヵ月以内に，事業経営地の都道府県知事に法67条第1項各号に掲げる事項を届け出なければならない。

福祉サービスの適切な利用に関しては，法75条で社会福祉事業の経営者は，福祉サービス（社会福祉事業において提供されるものに限る）を利用しようとする者が，適切かつ円滑にこれを利用することができるように，その経営する社会福祉事業に関し情報の提供を行うよう努めなければならないとして，情報の提供の定めを置いている。

ここで第一種社会福祉事業（法2条第2項）とは，利用者への影響が大きいため，経営安定を通じた利用者の保護の必要性が高い事業（主として入所施設サービス）をいう。

一方，第二種社会福祉事業（法2条第3項）とは，比較的利用者への影響が小さいため，公的規制の必要性が低い事業（主として在宅サービス）をいう。

	第一種社会福祉事業	第二種社会福祉事業
事業	利用者への影響が大きい 主として入所施設サービス	比較的利用者への影響が小さい 主として在宅サービス
経営主体	原則として行政および社会福祉法人である。 施設を設置して第一種社会福祉事業を経営しようとするときは，都道府県知事等への届出が必要。 その他の者が第一種社会福祉事業を経営しようとするときは，都道府県知事等の許可を得ることが必要。 個別法により，保護施設ならびに養護老人ホームおよび特別養護老人ホームは，行政および社会福祉法人に限定される。	制限はない。 すべての主体が届出をすることにより事業経営が可能となる。

出所：厚生労働省「生活保護と福祉一般：第1種社会福祉事業と第2種社会福祉事業」http://www.mhlw.go.jp/bunya/seikatsuhogo/shakai-fukushi-jigyou2.html より作成。

上記の「個別法」とは，例えば養護老人ホームを経営する事業は老人福祉法に規定されることになる（11参照）。

なお，現行法九章社会福祉事業等に従事する者の確保の促進においては社会福祉事業の適正な実施を確保し，社会福祉事業その他の政令で定める社会福祉を目的とする事業を「社会福祉事業等」とし，社会福祉事業等に従事する者の確保の促進を図ることとしている（法89条）。

10 非営利活動と営利活動（NPO 法人：特定非営利活動法人）

NPO 法人は，特定非営利活動促進法（以下「NPO 法」という）2 条別表に記載された，20 分野にあてはまる事業を行えることになっている。ここで，特定非営利活動とは，「別表に掲げる活動に該当する活動であって，不特定かつ多数のものの利益の増進に寄与することを目的とするものをいう」とあり，別表一として「保健，医療又は福祉の増進を図る活動」があげられている。社会福祉活動もその範疇に入っているといえる。

公益法人とされる社会福祉法人は社会福祉事業全般を行うが，「社会福祉法」により，厳格な決まりが定められている。そのポイントは，税制面で優遇を受けられる反面，行政によるチェックが行われる点である。税制面においては，NPO 法人も一部税制優遇措置が受けられるものの，公益法人ほどではない。

NPO 法人と社会福祉法人の設立については，NPO 法人の方が設立しやすいといえる。NPO 法人については資産基準が設けられていない（NPO 法 10 条から 14 条）ので，財政状態が厳しくても，一定の条件を満たしていれば設立する事が可能である。

社会福祉法人の場合，25 条で「社会福祉法人は，社会福祉事業を行うに必要な資産を備えなければならない」とあり，社会福祉法人審査基準によると，基礎となる資産がなければ設立できないことになっている。

> 第 2 法人の資産　1　資産の所有等
> (1)　原則
> 法人は，社会福祉事業を行うために直接必要なすべての物件について所有権を有していること，又は国若しくは地方公共団体から貸与若しくは使用許可を受けていること。
> なお，都市部等土地の取得が極めて困難な地域においては，不動産の一部（社会福祉施設を経営する法人の場合には，土地）に限り国若しくは地方公共団体以

外の者から貸与を受けていることとして差し支えないこととするが，この場合には，事業の存続に必要な期間の地上権又は賃借権を設定し，かつ，これを登記しなければならないこと。

なお社会福祉基礎構造改革の推進の趣旨を踏まえ，社会福祉法人の公益性を維持できる範囲内で，設立要件の緩和，自主的な経営基盤の強化および事業経営の透明性の確保を図るため，認可要件が見直されている〔社会福祉法人の認可について（通知）〕。

設立にあたり，NPO法人は認証制，社会福祉法人は認可制となっている。認可とは，その判断基準は行政側にあり，基準も「総合的な観点から」など裁量的な要素があり，担当者によって運用が異なる場合もある。一方，認証とは，原則として行政側に裁量権はなく，基準に従って書類が提出され，条件が満たされていれば，行政は認めざるを得ないことになる。NPO法の施行前までは，公益的な事業を法人として行う場合，すべて行政の認可を必要としていたが，同法の施行により，行政の裁量に関係ない制度がスタートしたといえる。結局，社会福祉事業に参入するには，NPO法人の方が容易である。

内容	社会福祉法人	NPO法人
活動の範囲	社会福祉活動のみ	20分野の活動
税制面	優遇大	優遇小
設立時の財産	必要	必ずしも必要ではない
設立	認可	認証

11 社会福祉事業の展開

社会福祉法２条の定めで「社会福祉事業」とは，第一種社会福祉事業および第二種社会福祉事業をいい，次のような事業を行うことができる。

1. 第一種社会福祉事業

次に掲げる事業を第一種社会福祉事業としている（法２条第２項）。

① 生活保護法：救護施設，更生施設，その他生計困難者を無料または低額な料金で入所させて生活の扶助を行うことを目的とする施設の経営，生計困難者に対する助葬事業

② 児童福祉法：乳児院，母子生活支援施設，児童養護施設，障害児入所施設，情緒障害児短期治療施設，児童自立支援施設等の経営

③ 老人福祉法：養護老人ホーム，特別養護老人ホーム，軽費老人ホーム

④ 障害者の日常生活及び社会生活を総合的に支援するための法律：障害者支援施設の経営

⑤ 売春防止法：婦人保護施設の経営

⑥ 授産施設および生計困難者に無利子または低利で資金を融通する事業：生活保護法38条第５項に規定する授産施設，社会福祉法２条に規定する授産施設（事業授産施設），生活福祉資金貸付事業

2. 第二種社会福祉事業

第二種社会福祉事業は比較的利用者への影響が小さいため，公的規制の必要性が低い事業（主として在宅サービス）をいう。具体的には次のようになる（法２条第３項）。

① 生計困難者に，その住居で日常生活必需品もしくは要する金銭を与え，または生活に関する相談に応ずる事業：無料低額宿泊事業，宿所

提供施設，生活困窮者自立支援法に規定する認定生活困窮者就労訓練事業

② 児童福祉法：障害児通所支援事業，障害児相談支援事業，児童自立生活援助事業，放課後児童健全育成事業，子育て短期支援事業，乳児家庭全戸訪問事業，養育支援訪問事業，地域子育て支援拠点事業，一時預り事業，小規模住居型児童養育事業，助産施設，保育所，児童厚生施設，児童家庭支援センター，児童の福祉の増進について相談に応じる事業，幼保連携型認定こども園を経営する事業

③ その他，母子及び父子並びに寡婦福祉法，老人福祉法，障害者総合支援法，身体障害者福祉法，知的障害者福祉法による事業

④ 生計困難者のための事業

⑤ 隣保事業：施設を設け，無料または低額な料金でこれを利用させることなど

⑥ 福祉サービス利用援助事業：日常生活自立支援事業（地域福祉権利擁護事業）

⑦ 上記の事業に関する連絡または助成を行う事業

3. その他の事業

社会福祉法人は，その経営する社会福祉事業に支障がないかぎり，公益を目的とする事業（以下「公益事業」という），またはその収益を社会福祉事業もしくは公益事業（法2条第4項4号に掲げる事業その他の政令で定めるものに限る。法57条2号において同じ）の経営に充てることを目的とする事業（以下「収益事業」という）を行うことができる（法26条），とされ公益事業および収益事業も業として行うことが可能である。なお，公益事業または収益事業に関する会計は，それぞれ当該社会福祉法人の行う社会福祉事業に関する会計から区分し，特別の会計として経理しなければならない（法26条第2項）。

12 サービスの向上（量と質）

社会福祉法人にとっては，主たる事業である社会福祉事業を効果的に実施することで，公益性を維持することが必要不可欠であり，実施している社会福祉事業について，取組を十分に行っているか評価される必要がある。

- サービスの質向上（第三者評価，苦情解決，職員の増員など）
- 職員処遇の向上（処遇改善，キャリアパスなど）
- 他の事業者が受け入れない困難な利用者への対応
- 既存施設・事業の維持管理
- 利用者等のニーズに対応した事業の創設や受入定員の増加

また，すでに実施している社会福祉事業を疎かにして公益的な活動が実施されることがないよう，その義務づけられた内容等について積極的な実施ができるような環境が整備されているか検証する必要がある。

1. 社会福祉事業に従事する者の確保の促進

社会福祉法89条には，社会福祉事業の適正な実施を確保し，社会福祉事業その他の政令で定める社会福祉を目的とする事業（以下，「社会福祉事業等」という）の健全な発達を図るため，社会福祉事業等従事者の確保および国民の社会福祉に関する活動への参加の促進を図るための措置に関する以下の基本指針を厚生労働大臣は定めなければならないとしている。

一　社会福祉事業等従事者の就業の動向に関する事項
二　社会福祉事業等を経営する者が行う，社会福祉事業等従事者に係る処遇の改善（国家公務員及び地方公務員である者に係るものを除く。）及び資質の向上並びに新規の社会福祉事業等従事者の確保に資する措置その他の社会福祉事業等従事者の確保に資する措置の内容に関する事項
三　前号に規定する措置の内容に関して，その適正かつ有効な実施を図るために必要な措置の内容に関する事項
四　国民の社会福祉事業等に対する理解を深め，国民の社会福祉に関する活動への参加を促進するために必要な措置の内容に関する事項

2. 福祉人材センター

都道府県福祉人材センター（法93条）として，都道府県知事は，社会福祉事業等に関する連絡および援助を行うことなどにより社会福祉事業等従事者の確保を図ることを目的として設立された社会福祉法人であって，以下に規定する業務（法94条）を適正かつ確実に行うことができると認められるものを，その申請により，都道府県ごとに1個にかぎり指定することができる。

一　社会福祉事業等に関する啓発活動を行うこと。
二　社会福祉事業等従事者の確保に関する調査研究を行うこと。
三　社会福祉事業等を経営する者に対し，第89条第2項第2号に規定する措置の内容に即した措置の実施に関する技術的事項について相談その他の援助を行うこと。
四　社会福祉事業等の業務に関し，社会福祉事業等従事者及び社会福祉事業等に従事しようとする者に対して研修を行うこと。
五　社会福祉事業等従事者の確保に関する連絡を行うこと。
六　社会福祉事業等に従事しようとする者について，無料の職業紹介事業を行うこと。
七　社会福祉事業等に従事しようとする者に対し，その就業の促進に関する情報の提供，相談その他の援助を行うこと。
八　前各号に掲げるもののほか，社会福祉事業等従事者の確保を図るために必要な業務を行うこと。

3. 共同募金

社会福祉法において「共同募金」（法112条）とは，都道府県の区域を単位として，毎年1回，厚生労働大臣の定める期間内に限ってあまねく行う寄附金の募集であって，その区域内における地域福祉の推進を図るため，その寄附金をその区域内において社会福祉事業更生保護事業その他の社会福祉を目的とする事業を経営する者（国および地方公共団体を除く。以下この節において同じ）に配分することを目的とするものをいう。共同募金を行う事業は第一種社会福祉事業（法113条）とする。

13 運営のための財源の確保

社会保障に関して国民が負担する税・保険料の総額は，2025年度には143兆円に増加するとされている。2025年はいわゆる「団塊の世代」がすべて75歳以上となり，超高齢化社会を迎え，医療・介護のニーズもピークを迎えるとされる。潜在的国民負担率（租税負担率＋社会保障負担率＋財政赤字対国民所得比）については，「骨太の方針2004」でその目途を50%程度としつつ，政府の規模を抑制すると閣議決定されている。また，社会保障に要する国の負担は，2025年度は，約150兆円〔財務省主計局平成26年10月8日財政制度分科会資料「社会保障①（総論，医療・介護，子育て支援）」〕を超えGDPの50%を超えるような水準とされる。巨額な財政赤字の下では，社会保障給付を賄うための公費を含め，税負担は将来世代に先送りされていると言わざるを得ない。

社会保障の給付について見直しを行い，必要な給付に対する公費負担については，将来世代に先送りすることがないよう，安定的な財源を確保する必要があるとされている。今後，少子高齢化のいっそうの進行が見込まれており，持続的な経済社会の活性化を実現する観点から，消費税を含む税制改革をし，世代内および世代間の負担の公平を図ることが重要であるとされる。

日本の社会保障制度は，労使折半で社会保険料を負担する社会保険方式を基本にしている（被用者保険）。現在では，健康保険・厚生年金・雇用保険（労災保険は使用者側のみ）で賃金の約15%が社会保険料の負担となっており，ある意味では税負担よりも重く感じるかもしれない。社会保障制度の充実は保険料や税の上昇を伴うため，個人については労働の意欲の減退を招き労働力供給を減少させるとともに，企業については雇用や投資の減少を招き，経済成長率を低下させるという意見もある。一方，日本の社会保障への保険料や税の負担はアメリカを除く先進諸国と比べ低く，社会保障制度の充実は雇用を創出し消費を増やす効果があり，経済に対する不況時の安定機能を果たしているという意見もある。制度の持続可能性の確保の観点と経済の活力の確保の観点がともに重要であるとされる。そこで財源の問題が出てくるが，「明日の安心　社会保障と税の一体改革を考える」（内閣官房「政府広報」）において，3つの基本的な考え方が示されている。

① 「全世代対応型」の社会保障制度の実現
② 「将来世代への負担の先送り」を軽減し安定した社会保障制度の目標
③ 社会保障の充実・安定化と財政健全化の同時達成のため，消費税をはじめとする「税制抜本改革」の実施

内閣府によると，社会保障と税の一体改革は，社会保障の充実･安定化と，そのための安定財源確保と財政健全化の同時達成を目指すもの（http://www.cas.go.jp/jp/seisaku/syakaihosyou/）である。2012（平成24）年8月に，関連8法案が成立し，さらに，社会保障制度改革推進法に基づき，内閣に社会保障制度改革国民会議が設置され，2013（平成25）年8月6日にとりまとめられた報告書等に基づき，改革の全体像や進め方を明らかにする法案が提出され，2013（平成25）年12月に成立した。今後も，法律に基づき，改革を具体的に実現していくとしている。その後，「社会保障の安定財源の確保等を図る税制の抜本的な改革を行うための消費税法の一部を改正する等の法律等の一部を改正する法律」が2016（平成28）年11月に公布施行され，消費税率の引上げ時期の変更や消費税の軽減税率制度の導入時期を変更することなどが定められた。

また，第4回社会保障制度改革推進本部において「平成29年度の社会保障の充実・安定化等について」が2016（平成28）年12月22日に決定された。そこでは，2017（平成29）年度の消費税増収分は，すべて社会保障の充実・安定化に向けるとされた。

14 補助金等の取り扱い

1. 社会福祉施設の目的

社会福祉施設は，福祉サービスを必要とする方々に福祉サービスを提供する施設であり，これらの方々が自立してその能力を発揮できるよう，必要な日常生活の支援，技術の指導などを行うことを目的としている。そのため，社会福祉施設の整備にあたっては，国および地方公共団体の補助金と助成制度があり，また，社会福祉法人等が施設を整備する場合，独立行政法人福祉医療機構による融資制度がある。

(1) 社会福祉施設整備補助金

社会・援護局障害保健福祉部が所管しており，対象施設は以下のようになっている。

施設種類	根　　拠　　法
保護施設	生活保護法 38 条に基づく救護施設等
児童福祉施設	児童福祉法 7 条に基づく知的障害児施設等
障害者施設	障害者自立支援法 5 条に基づく障害福祉サービス事業（生活介護，自立訓練，就労移行支援，就労継続支援），施設入所支援，共同生活介護および共同生活援助を行う施設
その他の施設	社会福祉法 2 条第 2 項に基づく社会事業授産施設等

また，費用負担については，国は，社会福祉法人等が施設を整備する場合，原則としてその整備費の1／2を補助し，都道府県（指定都市・中核市を含む）は，施設設置者に対して整備費の1／4を補助している。また，民間事業者が設置する社会福祉施設については，独立行政法人福祉医療機構において，社会福祉事業施設等の設置，整備等に必要な資金の融資が行われている。社会福祉施設整備補助金において，施設を整備する場合の費用負担は次のとおりである。

設置主体＼費用負担者	国	都道府県・指定都市・中核市	市町村	社会福祉法人等
社会福祉法人等	1／2	1／4	－	1／4

⑵ 助成制度（その他の交付金）

- 地域介護・福祉空間整備等交付金（平成17年度創設）
- 次世代育成支援対策施設整備費交付金（平成17年度創設）

⑶ 融資制度（福祉貸付）

社会福祉施設を整備するにあたっては，国や地方公共団体による助成が行われるが，社会福祉法人等には一定の自己負担が必要であり，これに対して独立行政法人福祉医療機構は融資を行っている。

2. 社会福祉施設の運営

社会福祉施設の運営にあたっては，措置権者（援護の実施機関）が要援護者を社会福祉施設へ入所させるなどの措置に基づき支弁される「措置費」や，運営されるサービスの利用者とサービスを提供する施設間の契約に基づき行われる利用契約制度による「介護報酬」，「介護給付費（自立支援給付）」により運営されるものがある。

このように，社会福祉事業には，補助金等の助成が必要不可欠であるが，民間企業の参入も奨励されている現在，公益性も含めてイコールフッティングの問題がある。イコールフッティング（equal footing）とは，「同等の条件。また，条件の同一化。商品・サービスの販売で，双方が対等の立場で競争が行えるように，基盤・条件を同一にすることなどをいう。」（大辞泉）ことであるが，今後の社会福祉を進展するためには避けて通れない課題である。

15 第三者評価制度

福祉サービス第三者評価の法的な位置づけとして，社会福祉法78条に「福祉サービスの質の向上のための措置等」として，次のように規定されている。

> 社会福祉事業の経営者は，自らその提供する福祉サービスの質の評価を行うこと，その他の措置を講ずることにより，常に福祉サービスを受ける者の立場に立って，良質かつ適切な福祉サービスを提供するよう努めなければならない。
> 2　国は，社会福祉事業の経営者が行う福祉サービスの質の向上のための措置を援助するために，福祉サービスの質の公正かつ適切な評価の実施に資するための措置を講ずるよう努めなければならない。

福祉サービス第三者評価とは，社会福祉法人等の事業者の提供するサービスの質を当事者（事業者・利用者）以外の公正・中立な第三者機関が，専門的かつ客観的な立場から評価する事業をいう。福祉サービス第三者評価は，事業者の優劣やランク付けを行うものではない。個々の事業者が事業運営における問題点を把握し，サービスの質の向上に結びつけ，さらに，福祉サービス第三者評価を受けた結果が公表されることにより，利用者の適切なサービス選択に資するための情報になることを目的としている。

評価の対象となるのは以下のような項目である。

1. 福祉サービス提供体制の整備状況と取り組み

- 法人，施設等の経営理念に基づき提供される福祉サービス内容
- サービスの提供体制
- 福祉サービスの質の向上に向けての全組織的な取り組み

2. 供する福祉サービスの内容

- 利用者とのコミュニケーション等人間関係の側面

■介護技術等の技術的側面
■生活環境の側面

第三者評価では事業所で提供されている「福祉サービスの質の向上」を目的として評価が行われる。事業者の経営理念，基本方針，職員の育成，地域との交流のほか，食事の提供や健康管理など具体的なサービスについて評価する。一方，行政監査は，経営（財務）状況や福祉サービスの提供方法など，社会福祉施設の運営について定めた最低基準および各種法令等を満たしているか否かについて，定期的に確認する。福祉サービス第三者評価は法律上の義務ではなく「任意」であるが，法78条では，社会福祉事業の経営者は，自己評価の実施等によって自らの提供する福祉サービスの質の向上に努めなければならないとして，自己評価について努力義務を規定しているので，事業者の積極的な受審が望まれる。評価の利点としては組織内効果として，提供しているサービスの質について改善すべき点が明らかになるため，サービスの質の向上に向けた取り組みの具体的な目標設定が可能になり，評価を受ける過程において，職員の自覚，改善意欲の醸成および課題の共有化が促進される。外的効果としては，利用者等からの信頼の獲得と向上が図られる点がある。

実施する第三者評価側（評価機関）の要件としては，評価調査者の専門性施設の特性を理解した人，評価ノウハウの蓄積評価実践を重ねて蓄積した評価のノウハウがあること，受審コースの選択でき，評価結果の確定まで公平性・中立性の担保されること，訪問調査から評価結果提示までの期間を短く結果の速報性が確保され，結果として良い施設の増加へ質の向上に資することである。

16 苦情解決制度

ほとんどの福祉サービスの利用・提供について，利用者と事業者が対等の立場に立った「契約」に基づいてなされている。また，2000年4月から介護保険が導入され，その制度にも対応した福祉制度の構築が求められるようになっている。福祉サービスは，必要なサービスを自分で選んで利用する仕組みへと変遷しており，以下のように選択したサービスに不満を感じる例があるかもしれない。

- 職員の態度が悪い。職員に嫌なことを言われた。
- 施設利用中にケガをしたが，誠意ある対応がなかった。
- 思っていたサービスと違う。
- 苦情を申出たが改善されない。

これら福祉サービスの利用に関し，当事者間で問題が生じた場合，解決する方法の1つとして，苦情解決制度（法82条）が規定されている。

（社会福祉事業の経営者による苦情の解決）
第82条　社会福祉事業の経営者は，常に，その提供する福祉サービスについて，利用者等からの苦情の適切な解決に努めなければならない。
（運営適正化委員会）
第83条　都道府県の区域内において，福祉サービス利用援助事業の適正な運営を確保するとともに，福祉サービスに関する利用者等からの苦情を適切に解決するため，都道府県社会福祉協議会に，人格が高潔であって，社会福祉に関する識見を有し，かつ，社会福祉，法律又は医療に関し学識経験を有する者で構成される運営適正化委員会を置くものとする。

社会福祉法では，その提供するサービスに関する利用者からの苦情に対して，適切な解決に努めるよう，すべての社会福祉事業者に求めている。そして，事業者段階における苦情解決の具体的方法については，外部の第三者を交えての解決が望ましいとされる。

苦情解決制度は，体制の整備と業務の流れの2つの側面で考える必要がある。なお，「社会福祉事業の経営者による福祉サービスに関する苦情解決の仕組みの指針について」が公表されている。

1. 法人側での体制整備

法人側における体制と構成員は次のようになる。

体制	構成員
苦情解決責任者	施設長または理事
苦情受付担当者	職員の中から任命
第三者委員	理事会で選考し理事長が任命

2. 苦情解決の業務フロー

① 利用者への周知（契約書や重要事項説明書に明記・説明）

② 苦情受付

③ 苦情受付の確認・報告

④ 苦情解決に向けての話合い，解決策の提示→第三者委員を交える

⑤ 苦情解決の記録・報告

⑥ 解決結果の公表報告

なお，機能させるためには，制度の実施目的，対象，実施体制および実施方法，第三者委員の選任方法などを明示するために，「苦情処理規程」「苦情対応規程」「苦情解決制度実施マニュアル」等の規定を整備することが必要となる。

また，解決にあたり，事業者段階では解決できなかった場合や，利用者が事業者に直接言い出しにくいなどの場合は，都道府県の社会福祉協議会に公正・中立な第三者機関として設置されている運営適正化委員会に申出ることができるとしている。

17 コンプライアンスの遵守

社会福祉法人においてもコンプライアンスについての要求が高まってきている。「社会福祉法人指導監査実施要綱の制定について」（平成 29 年 4 月 27 日）において，社会福祉法人の法人運営に関するルールが定められている。実際には，遵守すべきルールは制定され適用される法令に限定されないことを認識しなければならない。つまり法令のみの遵守がコンプライアンスではない。

以下に掲げる事柄も社会的な要請が強いものである。

- ■法人の理念に基づく職員の行動規範の中に法令を遵守すべき原則を組み込む
- ■役員・職員を対象とした研修を実施する（少なくとも年 1 回）
- ■社会福祉法人の事業に明るい顧問弁護士を置く
- ■可能であれば，法人に法務担当者を置き，理事長の直属とする
- ■理事，監事または評議員に社会福祉法人に関する実務・法令に詳しい人を登用する
- ■リスクの点検・評価で全体的な総合リスクチェック・評価を実施する際，法令遵守に加えて，企業の社会的責任（CSR）の視点でも検討を行う
- ■内部統制の制度に組み込む法令遵守の各種仕組み（行動規範・リスク評価と対策・内部通報制度，外部提携先とのコミュニケーションなど）の点検と運用状況のモニターを行う

「アクションプラン 2020」（全国社会福祉法人経営者協議会）では，マネジメントに対する基本姿勢の 1 つとしてコンプライアンスの徹底（行動指針 11）があげられている。長期ビジョンとして，社会福祉法人の組織やその事業を実施する上での関係法令はもとより，法人の理念や諸規程さらには広く社会的ルールやモラルを遵守した経営に努める必要がある。

1. コンプライアンスの目的・考え方

① 経営理念に基づく経営方針および社会福祉関係法令等を遵守し，公共的・公益的かつ信頼性の高い経営を行う

② 法人経営を行う上で基本となる社会的規範やモラルを守る

③ 福祉サービスは対人サービスが基本であり，その職業上高い倫理性が求められることを職員一人ひとりまで周知する

④ 社会福祉法人を取り巻くさまざまなリスクから組織を守り，不祥事等を未然に防止するための具体的な取組を推進する

2. コンプライアンスを実践するためのポイント（中期目標）

① 中ルールに対する適切な認識（研修に積極的に参加するなど経営者が遵守すべきルール（法令，その他社会的ルール等）の変更について情報を収集する姿勢を持っているか）

② コンプライアンス規定・マニュアルの策定，コンプライアンス担当部署の設置等，倫理や法令等の遵守の徹底に向けたコンプライアンス管理体制の構築

③ コンプライアンス教育の徹底（職員に対する社会福祉関係法令，労務関連法令，虐待防止法等の適切な理解を促す場の提供に努め，社会的ルールの遵守の重要性を普及・啓発しているか）

④ 公益通報者保護法による，公益通報相談窓口（コンプライアンスホットライン）を設置し，職員等からの法令違反行為に関する相談や通報の適正な処理の仕組みを定め，不正行為等の早期発見と是正

⑤ 補助金，交付金および運営費等の適切な申請と執行，保険報酬請求等について，専門職等の人員配置基準を守り，法令に定められた基準に基づいた請求事務

⑥ 取引事業者，行政関係者等の利害関係者と公正かつ適正な関係の保持

出所：「アクションプラン2020」https://www.keieikyo.gr.jp/data/ap2020.pdf

18 あるべき組織と管理

社会福祉法人の組織としてあるべき姿としては，ガバナンスの確立とともに，法人内にどのような管理体制を構築するかである。そのための要点を整理すると以下の6つになる。

1. 法人単位での経営への対応

介護保険制度の施行を契機として，複数施設・事業所を経営する社会福祉法人が増加している。社会福祉基礎構造改革では，措置制度の下での基本であった施設・事業所を単位とした施設管理から，法人単位での経営が可能となる見直しを行っており法人単位での経営を目指しているが，いまだに社会福祉法人の経営が，施設・事業所単位のままとなっており，社会福祉法人側での意識が十分とはいえない。

2. 理事長の業務と責任

公益性の高い社会福祉事業の経営に携わる理事の中から選定された社会福祉法人の理事長は，法人の使命を正しく履行する義務と責任がある。福祉の向上に寄与するという信念と，利用者・地域のニーズを掬い上げ，職員との双方向のコミュニケーションを図るなど，サービスの質の向上を図っていく必要がある。

3. 理事長の職を担う人材

社会福祉法人の理事長の職を担う人材の資質の適性の問題がある。結果として世襲であっても，一律に是非が問われるものではないが，経営能力が必要とされる理事長職には，福祉への信念や実践力，法人の使命を踏まえた人材が就任することが適当である。理事長の選任にあたっては，評議員会において適切に理事が選任され，理事長が選定される仕組みとなっている。

4. 法人の組織運営

法人単位での経営を社会福祉法人が推進するためには，法人単位で経営戦略，人事，財務を統括管理する部門が必要となる。このため，一定規模以上の法人には，理事会の下に法人本部事務局の設置を検討するべきである。

5. 法人の資金管理

法人の本部機能が発揮されるためには，法人本部が各事業の剰余金等の財源をもとに，新規事業企画や不採算部門への資金充当を立案できる組織対応が必要である。このためには，資金管理は施設単位から法人単位とすることになる。社会福祉事業と財務管理について識見を有する者が監事に含まれなければならない（法44条第5項）。

6. 監事要件

会計（財務）監査と事業監査の観点から，財務管理については法人運営の状況を把握するための基礎的要素であるため，監事間で財務情報を共有できることが必要である。また会計のみならず，社会福祉法人制度等を理解した者であることが大切である。さらに，監事は法人の財務関係の適正性を担保するため，独立性をその要件とし，法人運営に関する説明責任を外部に対して果たすためには，職務実態に応じ，報酬の基準を定め，評議員会の承認を受けて支給することになっている（法45条の35）。

19 公益法人制度改革による制度

公益法人の制度改革は2013年11月に5年間の移行期間が終了している。公益法人でも，一般社団法人や一般財団法人は設立が誰にでも可能となった反面，普通の株式会社と同様の取り扱いとなった。この制度改革の中で，社会福祉法人に対して，厳しい指摘が出てきている。2013年8月6日付けの社会保障制度改革国民会議の報告書において，社会福祉法人制度の見直しについて言及されおり，社会福祉法人はもっと積極的な事業展開をすべきとの指摘がなされている。その内容は以下の3つである。

1. 社会福祉法人を取り巻く現状

社会福祉法人に関して，1990年代では行政側からみると，「非営利団体」というより「非課税団体」の性格が強いことであり，そのため社会的に規制が厳しいのは当然となる。

成り立ちから「社会福祉法人は非課税団体」であるという意識が法人経営者にあり，サービスを提供していく中では公益性に配慮しながらサービスの拡充や質的向上に努めることになる。その中で，税金面の優遇から厚い内部留保という結果が生まれている。資金が不足するのは問題であるが，それよりも「税金がかからない」という意識があり，社会福祉法人の経営者と民間の企業経営者と異なっているのではないかといわれてきている。

利益（課税所得）に対して税金が徴収される民間企業に比べて，非課税団体である公益法人は，事業を展開していく上で，資金面では，拘束性が低いといえる。この自由度を活かす形で，施設の取得や事業展開ができるのではないかといえる。

内部留保を厚くしている社会福祉法人経営者には，アイデアや実践力が不足しフリーな資金を活かしきれていない点が問題だと思われる。

社会保障制度改革国民会議の資料には，社会福祉法人に対し「経営の合理化，近代化が必要。大規模化や複数法人の連携を推進。加えて，社会福祉法人が非課税扱いとされているにふさわしい，国家や地域への貢献が求められるべき」との記載があり，上記の点が指摘されている。現行法では社会福祉充実計画の承認（法55条の2）が一定要件のもと必要となっている。

2. 公益法人制度改革と社会福祉法人の関係

2006（平成18）年の公益法人制度改革の結果，一般社団法人・一般財団法人，公益社団法人・公益財団法人について，社会福祉法人よりも厳しい組織体制や透明性の確保の規定が設けられている。公益社団法人・公益財団法人は，一般市民に対し，事業報告書や財務諸表だけでなく，定款，役員名簿，役員報酬規程の閲覧が義務づけられている。さらに，一般社団法人・一般財団法人，公益社団法人・公益財団法人は，貸借対照表の公告（官報，日刊紙，電子公告による公表）が義務づけられており，大規模法人（負債額200億円以上）では，損益計算書の公告も義務づけられている。社会福祉法人の創設経緯から，より公益性の高い法人として，公益社団法人・公益財団法人と同等以上の組織体制や透明性の確保が求められている。

3. 社会福祉基礎構造改革と情報開示

2000（平成12）年の社会福祉基礎構造改革によって，社会福祉法人には，福祉サービスの利用を希望する者その他の利害関係者に対し，事業報告書，財産目録，貸借対照表および収支計算書を閲覧に供するよう義務づけられ，現行法では，財務諸表・現況報告者・役員報酬基準等の公表が明記（法59条の2）されている。社会医療法人の創設や公益法人制度改革が進行した結果，社会福祉法人には法人経営の透明性の向上や高い公益性に基づくガバナンスの強化が，社会福祉法（法24条「経営の原則等」）では事業運営の透明性の向上から強く要請されている。

20 利害関係者の視点

社会福祉法人は内部だけではなく，関係する外部者として多くの利害関係者が存在する。利害関係者の立場からは公益的な視点が必要となる。

1. 公益的な活動について

社会福祉法人の情報公開については，地域の福祉関係者〔社会福祉法人の認可について（通知）〕や地域住民の理解を得ていくため，財務諸表等だけでなく，法人の理念や事業，地域における公益的な活動等の非財務（定性）情報についても財務情報とあわせて，利用者や地域住民にわかりやすく公表することを推進するべきである。1人暮らしや夫婦のみ世帯高齢者，認知症，家庭内の閉鎖的環境から生ずる児童や高齢者等に対する虐待，精神疾患による精神的・経済的な困窮，発達障害，地域での孤立などの社会生活上の困難を有する人びとは増加傾向にあり，こうした人びとに対する日常生活の見守りや権利擁護など，制度で提供されるサービスだけにとどまらない支援が必要となっている。制度上，さまざまな経営主体の参入が可能になっているものの，過疎地等には事業者の参入がなく，制度に基づくサービスでさえも，提供が困難となっている場合がある。

市場原理では必ずしも満たされない社会福祉制度の狭間のニーズが顕在化しており，社会福祉法人が組織的かつ継続的に取り組んでいくことが強く求められている。社会福祉法人には，現行法において，社会福祉法人の公益性・非営利性を踏まえ，本来の役割を明確化するため地域における公益的な取組の実施（法24条第2項）が求められる。具体的な活動内容の例示と活動の着眼点は以下のとおりである。

2. 地域における公益的な取組

「社会福祉法人の『地域における公益的な取組』ついて」によると，取組の3つのサービス要件とその考え方は以下のとおりとなる。

(1) 社会福祉事業または公益を行うにあたって提供されるサービス

- 地域の障害者，高齢者と住民の交流を目的とした祭りやイベントなど地域福祉の向上を目的とした活動は該当し得るが，当該法人の施設・事業の入所者・利用者と住民との交流活動は，法人事業の一環として行われるものであり該当しない
- 環境美化活動や防犯活動は，法人が自主的に取り組むことができるものであるが，地域社会の構成員として行う活動であり該当しない

(2) 日常生活または社会上の支援を必要とする者に対する福祉サービス

- 要支援・要介護高齢者に対する入退院支援などは該当し得るが，自ら移動することが容易な者に対する移動手段の提供などは法人が自主的に取り組むことができるものであり該当しない
- 子育て家族への交流の場の提供は該当し得るが，地域住民に対するグラウンドや交流スペースの提供は法人が行い得るものであり該当しない
- 家庭環境により十分な学習機会のない児童に対する学習支援を目的としたものは該当し得るが，一般的な学力向上を主たる目的とした学習支援は法人が自主的に取り組むことができるものであり該当しない

(3) 無料または低額な金額で提供される福祉サービス

- 自治体の委託事業を受託して費用の補填を受けている場合は該当しないが，法人独自に付加的なサービス提供を行っている場合は該当し得る
- 法人が介護保険サービスに係る利用者負担を軽減するもの
- 地方公共団体や住民活動をつなぎ，地方公共団体との間に立ちネットワークを作っていくなど，まちづくりの中核的役割
- 個性豊かな地域社会づくり，地域再生の中心としての貢献

21 社会福祉法人の情報開示（会計基準と事業報告）

社会福祉法人の運営状況については，透明性の確保が必須である。法人の非営利性・公共性の観点，また運営にあたり強い公的規制を受ける一方，国庫補助や税制優遇を受けているという性格から，いっそうの透明性の確保を図ることが求められており，規制改革会議における見解として，「社会福祉法人の経営状態が分かりやすくなるよう経営情報を公開する」（平成25年5月2日）と示された。これらを踏まえ，各社会福祉法人に対して，業務および財務等に関する情報を公表するよう周知および指導し，あわせて，2013（平成25）年6月末までに提出される所管の社会福祉法人に係る貸借対照表および収支計算書について，公表を実施するようにされた。

社会福祉法人は，省令〔厚生労働省令第79号「社会福祉法人会計基準」〕で定める基準に従い会計処理を行い（法45条の23，省令2条）会計帳簿を作成（法45条の24，省令3条），また省令の定めにより，計算関係書類および事業報告を作成しなければならない（法45条の27，省令2条の25）。また，情報公開については，省令に定めるところにより計算書類等の事項を公表しなければならない（法59条の2，省令10条）とされ開示を義務づけている。

1. 計算書類等の情報開示

社会福祉法人の情報開示については，「社会福祉法人の認可について」によると，法人は，定款，報酬等の支給の基準，計算書類，役員等名簿および現況報告書について，インターネットの利用により，遅滞なく，公表する（法59条の2第1項・第5項，施規10条）こととなっている。なお，計算書類，役員等名簿および現況報告書については，法人の運営に係る重要な部分に限り，個人の権利利益が害されるおそれがある部分を除くとし

(施規10条第3項)，計算書類および現況報告書について，情報処理システムに記録する方法により所轄庁に届け出を行ったときは，法人が公表を行ったとみなされる（施規9条3号，10条第2項)。

2. 所轄庁における取り組み

ホームページが存在しないことなどにより，インターネットでの公表が困難な法人が存在する場合は，所轄庁のホームページに公表または所轄庁が情報処理システム（施規9条3号）に記録することになる。

3. 社会福祉法人会計基準について

2011（平成23）年7月27日付けで，厚生労働省から新しい社会福祉法人会計基準の制定通知があり，2012（平成24）年4月1日から適用された(ただし，2015（平成27）年3月31日までは，従来の基準によることも可)。なお，社会福祉法人会計基準を適用した財務等に関する情報は，外部公表用としては詳細なものとなっている。そのため，法人内における日々の管理においては，法人に適合するようにカスタマイズしたり簡略化することにより経営状況や財務情報を把握しやすいように工夫することも必要である。

さらに2016（平成28）年3月31日に「社会福祉法人会計基準」が制定され2016年4月1日から施行されている（詳細は第2章参照)。

22 社会福祉法人の課税関係

社会福祉法人が行う社会福祉事業については，公共性がきわめて大きいため，さまざまな税制上の優遇措置（非課税措置）が講じられている。

1. 国税および地方税の課税関係

社会福祉法人に係る法人税は，収益事業にかかわる所得以外は非課税（法法4条）となる。ただし営利企業と競合するような事業（収益事業）を行い，利益を上げていれば課税対象となる。法人が利子，配当等を受けたときには，所得税を納める義務が生じるが，社会福祉法人には課せられない（所法11条）。贈与税は，法人に対する贈与については課されないので社会福祉法人については問題がない。相続財産の条件については，遺言状がなくても，相続人（例えば妻や子）が相続財産を，相続税の申告期限内に，社会福祉法人に寄付すれば，当該財産は相続財産の基礎には参入されず，非課税となる。社会福祉法人が行う事業は，介護事業その他の社会福祉事業など，消費税は原則非課税となる。消費税は「障害福祉サービスにおける生産活動，及び，収益事業を除く社会福祉事業」，「一定のサービスを除くほとんどの介護サービス」については非課税収入とされているため，取引支出において消費税を払えばよいということになる。

地方税関係についても，収益事業以外からの所得について事業税は課税されない（地法72条の5）。市長村民税，都道府県民税も，原則（収益事業を行う場合にはこのかぎりではない）課税されない。収益事業以外の事業に係る事業所には，事業所税は課税されない（地法701条の34）。社会福祉事業の用に供する固定資産（土地・建物）には，固定資産税は課されない（原則非課税）（地法348条第2項）。さらに不動産所得税についても，社会福祉事業を経営する者が，その施設の用に供する不動産を取得した場合には，都道府県知事の不動産使用の証明が必要となるが課税されない(地法73条の4)。

2. 社会福祉法人の課税問題

社会福祉法人は特別法に基づき設立されている公益法人であり公益性の認定を受けているが，公益法人課税の見直しの議論がある〔「法人税の改革について」平成26年6月〕。収益事業のみが課税対象となり，公益目的事業に係る収益は原則非課税とされている。収益事業に対する軽減税率の適用に加え，収益事業による収入を非収益事業のために支出した金額は，一定額まで損金算入されるなどの現状をうけ，改革の方向性として，公共的なサービス主体が多様化し，経営形態のみによる公益事業の定義が適当ではなくなっている市場の変化を踏まえ，公益法人等に対する課税の抜本的な見直しを行う必要がある。特に介護事業のように民間事業者との競合が発生している分野においては，経営形態間での課税の公平性を確保していく必要がある。なりたちや役割も踏まえ，公益法人や収益事業等の範囲や課税所得の範囲や税率の適用も見直しが必要である，としている。

さらに，社会福祉法人内部留保の問題がある。現在，高齢化が進む中，障害者や高齢者などのための福祉施設や保育園，病院などの医療機関の運営主体になり，特別養護老人ホームなどの施設経営分野では大きな役割を果たしているが，内部留保を多く有する法人もあり，会計検査院や財政制度審議会でも，その問題が取り上げられている。主な理由として，制度上配当により内部留保を外部に流出させることが制限され，補助金や税制の優遇措置とも関係があるといわれる。一方で社会福祉事業において働く労働条件や所得の厳しさや人材の確保などの問題も抱えていることも事実である。現行法では社会福祉充実計画が法定化されたことにより，内部留保の活用が必須となっている。

第１章

要約

第１章では，社会福祉サービスを提供する側である社会福祉法人の内容について社会福祉法を根拠として，基本的な知識を整理した。

また社会福祉制度が直面する問題について，サービスの需要に対して供給が十分ではないことを，社会現象としての少子高齢化をはじめ，非営利性ゆえの財源問題，さらには現場での人材不足や労働条件を指摘した。

さらに，法人経営としての社会福祉法人の抱える問題として，管理組織・本部組織の必要性，また民間企業並みに要求されるようになってきているガバナンス（企業統治）の重要性について制度改革や公益性の観点からも示した。

最後に，サービスを受容する側である利害関係者への，情報開示の必要性を，会計的な側面から，税制面の優遇策も含めて概観している。

これらの基礎知識を踏まえて，次章以下の会計・税務，監査・監督，分析・評価へと進むことにより，社会福祉法人への理解がすすむことになる。

第2章　社会福祉法人の会計と税務

概要

社会福祉法人に限らず，法人を運営するにあたり，会計，税務の問題は避けて通れない。とりわけ社会福祉法人の場合は，その性格の特殊性から，主に会計に関するルールを定めた経理規程の策定から対応しなければならない。規程策定後，実際の運用段階に入っても，複数のサービス区分にまたがる共通収益，共通経費の各サービスへの配分や拠点区分，事業区分を踏まえた独特な財務諸表体系への対応も必要になってくる。

経理関係以外にも，社会福祉法人には自治体，関係各種団体へ会計データを基にした法人の運営状況や施設状況の報告，毎期予算を策定し，予算に基づいた法人の運営が求められている。さらに，社会福祉充実残額を算定し，必要に応じ社会福祉充実計画を策定することになる。また税務面においても，社会福祉法人に対してはさまざまな特別な取り扱いや優遇措置が設けられている。

これらの会計，税務に関する種々のルールを理解し，適切に対応することは，社会福祉法人の円滑な運営に必要不可欠である。

第2章では，社会福祉法人を運営する中で生じる会計や，税務上に関連するさまざまな規程やそれらへの対応，事前の準備等について解説する。

1 社会福祉法人会計基準の概要と経理規程

1. 社会福祉法人会計基準

社会福祉法人は，厚生労働省令で定める基準に従い，会計処理を行い，適時に正確な会計帳簿を作成しなければならない（法45条の2第1項）とされており，社会福祉法人が行った事業活動に対しては，一般の株式会社などとは異なり，社会福祉法人会計基準に従って記帳していく必要がある。

ここでいう準拠すべき社会福祉法人会計基準とは，体系立ってまとまったものがあるわけではなく，具体的には，2015年度（平成27年4月1日～28年3月31日）以前の会計年度に係る計算書類等の作成については，「社会福祉法人会計基準の制定について」（厚生労働省局長連名通知，平成23年7月27日）を指し，2016（平成28）年4月1日以後に開始する会計年度に係る計算書類等の作成については「社会福祉法人会計基準」（平成28年3月31日厚生労働省令第79号）を指す。

会計基準省令を補足するものとして「社会福祉法人会計基準の制定に伴う会計処理等に関する運用上の取扱いについて」（厚生労働省局長連名通知，平成28年3月31日）および「社会福祉法人会計基準の制定に伴う会計処理等に関する運用上の留意事項について」（厚生労働省課長連名通知，平成28年3月31日）ならびに「社会福祉法人会計基準の制定に伴う会計処理等に関する運用上の留意事項についての一部改正について」（厚生労働省課長連名通知，平成28年11月11日）が発令されている。

2. 社会福祉法人会計基準の基本的考え方

社会福祉法人が行う取引について，社会福祉法人会計基準は以下のような立場をとっている（①から④までは基準制定（平成12年2月），⑤，⑥

は基準制定（平成23年7月））。

① 社会福祉法人単位での経営を目指し，法人全体の経営状況が把握できる法人制度共通の会計基準であること

② 簡潔明瞭なものとし，損益計算の考え方を採り入れることにより効率性が反映されるものであること

③ 法人としての高い公益性を踏まえた内容であること

④ 取引を適切に記録し，経営状況を適切に表示するための基本的な事項について定めたものであり，各法人における経理処理については，この基準をもとにそれぞれの法人で自主的に定めること

⑤ 社会福祉法人が行うすべての事業（社会福祉事業，公益事業，収益事業）を適用対象とすること

⑥ 法人全体の財務状況を明らかにし，経営分析を可能とするとともに，外部への情報公開に資するものとすること

3. 社会福祉法人会計基準の特徴

平成23年会計基準通知より適用され，会計基準省令においても踏襲された会計基準の大きな特徴は，上記 2. ⑥の外部へ向けての情報公開が要求されている点である。社会福祉法人は，決算が終了した後，インターネットを活用し，公表しなければならない（認可一部改正第5(5)）。すなわち，社会福祉法人は，毎期の財務諸表を外部に向けて公開することにより，事業の透明性を確保する必要がある。なお，ホームページが存在しないことなどによりインターネットでの公表が困難な法人については，当該法人が自ら公表を行うことが困難な理由を確認し，所轄庁のホームページにおいて公表するか，所轄庁が施行規則9条3号の情報処理システムに記録することとされている。

また，会計基準には，以下のような手法が導入されている（運用指針20～24)。ただし，これらの導入は社会福祉法人特有のものではなく，企業

会計基準にもみられるものであり，企業会計基準と大きく変わるものではないが高度で複雑な処理が要求され，退職給付会計のみ，退職給付引当金との関係で後述する。

① リース会計

② 退職給付会計

③ 減損会計（資産価値の下落）

④ 内部取引の相殺消去

⑤ 法人税，住民税および事業税

上記のように，社会福祉法人会計基準は外部に向けて公開することが要求されていること，新たな会計手法が導入されていることにより（本章8参照），高度で複雑な処理が要求されているため，内容を十分に確認し，慎重に対応することが必要である。

4. 経理規程の策定

社会福祉法人は，会計基準に従って社会福祉法人の財政状況および事業状況を適正に記録することのみならず，以下のような社会福祉法人の管理組織の確立が求められている（運用指針1(1)(2)(3)）。また会計基準で引当金に見られるような詳細な明文規定が存在しない場合等も含めて，社会福祉法人は，会計基準に基づく適正な会計処理のために必要な事項について経理規程を設けることが求められている。

① 法人における予算の執行および資金等の管理に関しては，あらかじめ運営管理責任者を定める等法人の管理運営に十分配慮した体制を確保することとする。また，内部牽制に配意した業務分担，自己点検を行う等，適正な会計事務処理に努めるものとする。

② 会計責任者については理事長が任命することとし，会計責任者は取引の遂行，資産の管理および帳簿その他の証憑書類の保存等会計処理に関する事務を行い，または理事長の任命する出納職員にこれらの事

務を行わせるものとする。

③　施設利用者から預かる金銭等は，法人に係る会計とは別途管理することとするが，この場合においても内部牽制に配意する等，個人ごとに適正な出納管理を行うこととする。なお，ケアハウス・有料老人ホーム等で将来のサービス提供に係る対価の前受分として利用者から預かる金銭は法人に係る会計に含めて処理するものとする。

経理規程では実務上の具体的な事項に対する処理を記載することが求められるため，例えば複数の拠点，事業，サービスにまたがる収益や経費を適正に該当するサービスへ配分する方法等まで言及する必要がある。

2 共通収益，共通経費の配分について

通常，社会福祉法人を運営する場合，複数の拠点，事業，サービスを提供するケースが多い。その場合，以下のような複数のサービスにまたがる収益や経費が生じることがあり，その際にその収益や経費を各サービスへ配分処理をする必要があることが特徴的である。

なお，拠点区分は，一体として運営される施設，事業所または事務所を1つの拠点区分とする。

事業区分は，各拠点区分について，その実施する事業や社会福祉事業，公益事業および収益事業のいずれであるかにより，属する事業区分を決定するものとする。

サービス区分については，拠点区分において実施する複数の事業について，法令等の要請によりそれぞれの事業ごとの事業活動状況または資金収支状況の把握が必要な場合に決定する（運用指針4・5）。

事業区分	拠点区分
社会福祉事業	A ホーム
	B 苑
	C 園

拠点区分	サービス区分
B 苑	訪問介護
	居宅介護支援
	短期入所生活介護

1. サービスの利用者負担額について

■収納代行サービス会社等に委託していることにより，複数サービスの利用者負担額がまとまって入金されているため，具体的にいつ提供した，どのサービスの，どの利用者の分が入金されているのか把握できないケース

2. 国民健康保険団体連合会等へ請求した報酬について

■書類不備等で一部入金されないケース

■過去書類不備等で入金されなかったものが複数ヵ月分まとめて入金されたケース

■上記の理由により複数サービス分，複数月分の報酬がまとめて入金されて，サービスごとの金額を具体的に求めることが困難なケース

3. その他の収入

■法人の付随的な収入によるもので，特定の拠点やサービスに帰属する収入ではないもの（受取利息，配当金，職員から徴収する給食費や駐車場・駐輪場代など）があるケース

4. 経費について

■複数の拠点，サービスにかかる経費で配分割合の算出が困難なケース

■法人全体に係る経費で各サービスへの配分割合の算出が困難なケース

上記 1. から 3. の収益については，提供したサービスとの関連づけが明らかなケースが多く，各サービスへの配分についても特段問題になることは少ないと考えられる。そこでここでは，上記 4. の経費の配分について考えてみたい。

上記 4. のような場合は，運用指針において具体的な科目と配分方法が示されているものの，実態として示された配分方法によりがたい場合は，実態に即した合理的な配分方法による事としても差し支えないものとされている。また，運用指針に示されていない科目が生じた場合は，適宜，類似する科目の考え方をもとに配分しても差し支えないこととされている（運用指針 13）。

ここで経費の配分方法についての考え方として，どのようなものがある

のか，そしてどのような考え方がより実態に即しているのかを考えてみる。前述した運用指針における具体的な科目と配分方法は図表のとおりである（運用指針別添1）。

別添1の科目別配分基準のうち，実務的には人件費，事業費，減価償却費，徴収不能額，徴収不能引当金繰入，支払利息について，比較的対応する事業，サービスへの関連付けが容易であり，個別の配分割合の算出も可能であると考えられる。

それぞれ人件費はスタッフごとに従事するサービスが決められていること，事業費は法人の特定のサービスの収益との結びつきの程度が明らかになりやすいこと，減価償却費は購入の目的となったサービスが明らかになりやすいこと，徴収不能額，徴収不能引当金繰入はどのサービスの利用者の債権に係るものか追跡しやすいこと，支払利息については借入目的によって該当サービスが明らかにしやすいことが主な理由である。ただし，上記に掲げた比較的配分を行いやすいと考えられる経費のうち，人件費に関しては，以下の点に注意が必要である。

社会福祉法人会計において，人件費に関して，具体的な処理方法に関する明文規定は存在せず，共通支出および費用の配分方法として，具体例が示されているに留まっている（運用指針13）。ただし実務上は，財務諸表の作成の他，各自治体や独立行政法人福祉医療機構，公益社団法人全国老人福祉施設協議会などが行っている施設状況の調査，現況報告書作成等の求めに応じて，人件費に関してさまざまな観点から細分化，集計して報告することが求められることから，平常時から次のとおり区分し，各サービスへの配分をしておく必要がある。

① 常勤，非常勤の別（実務上は正社員とパートで区分することが現実的であると思われる）
② 職種（事務員，医師，理学療法士，作業療法士，介護福祉士等）
③ 職員ごとに従事するサービスの割合を明示（○○ 50%，××50%等）

④　各月における各職種，常勤非常勤別の従事人数の把握

一方，事務費については，法人全体や複数サービスにまたがるものが多い事，法人の特定のサービスの収益との結びつきが希薄なものが多い事などから，個別具体的に該当するサービスへの配分割合を算出することが困難であると考えられ，実務上は社会福祉法人運営の実態に即した配分割合を用いて各サービスへ配分する必要があるものと考えられる。

別添1の事務費に関する配分方法をみてみると，福利厚生費や職員被服費，旅費交通費，通信運搬費，諸会費，雑費，渉外費を除き，基本的に各経費1つひとつを吟味し，それぞれに定める方法により該当するサービスへ配分することが求められている。しかしながら日々の業務の中で雑多な事務費1つひとつについて吟味し，さらに該当サービスごとに分別していくことは実務的に困難な面が多い事が考えられる。また建物の床面積割合についても，1フロアごとに行っているサービスが明確に分けられているケースを除き，サービスごとに床面積を厳密に区分して運営するのが難しいケースも考えられることから，現実的には人件費割合や，延利用者数割合をもって配分計算を行うことになるケースが多くなると考えられる。

さらに，共通経費の配分に必要な指標として延利用者数割合や人件費割合を用いる場合，毎月理事長に対して月次報告を行う必要がある（モデル経理規程31条）ことから，1ヵ月ごとの実績数字から計算した割合を使うのが原則である。しかし，期中の経営状況や環境の変化により，期中に延利用者数割合や人件費割合が著しく変動するケースも考えられる。この場合であっても，やはり各月の実績数字から計算した割合を用いて配分計算をすればよいものと考える。なぜならば，たとえ期中で配分の基準となる割合が著しく変動しようとも，事務費の場合は基本的にそのとき必要なものをその都度購入するのが一般的であると考えられるため，購入した月の配分割合を用いて計算するのが最も合理的であると考えられるためである。

具体的な科目および配分方法

種　類	想定される勘定科目	配　分　方　法
人件費（支出）	・職員給料（支出） ・職員賞与（支出） ・賞与引当金繰入 ・非常勤職員給与（支出） ・退職給付費用 （退職給付支出） ・法定福利費（支出）	勤務時間割合により区分。 （困難な場合は次の方法により配分） ・職種別人員配置割合 ・看護・介護職員人員配置割合 ・届出人員割合 ・延利用者数割合
事業費（支出）	・介護用品費（支出） ・医薬品費（支出） ・診療・療養等材料費（支出） ・消耗器具備品費（支出）	各事業の消費金額により区分。 （困難な場合は次の方法により配分） ・延利用者数割合 ・各事業別収入割合
	・給食費（支出）	実際食数割合により区分。 （困難な場合は次の方法により配分） ・延利用者数割合 ・各事業別収入割合
事務費（支出）	・福利厚生費（支出） ・職員被服費（支出）	給与費割合により区分。 （困難な場合は延利用者数割合により配分）
	・旅費交通費（支出） ・通信運搬費（支出） ・諸会費（支出） ・雑費（雑支出） ・渉外費（支出）	・延利用者数割合 ・職種別人員配置割合 ・給与費割合
	・事務消耗品費（支出） ・広報費（支出）	各事業の消費金額により区分。 （困難な場合は延利用者数割合により配分）
	・会議費（支出）	会議内容により事業個別費として区分。 （困難な場合は延利用者数割合により配分）
	・水道光熱費（支出）	メーター等による測定割合により区分。 （困難な場合は建物床面積割合により配分）
	・修繕費（支出）	建物修繕は，当該修繕部分により区分，建物 修繕以外は事業個別費として配分 （困難な場合は建物床面積割合で配分）
	・賃借料（支出） ・土地建物賃借料（支出）	賃貸物件特にリース物件については，その物件の使用割合により区分。 （困難な場合は建物床面積割合により配分）

種　類	想定される勘定科目	配　分　方　法
事務費（支出）	・保険料（支出）	・建物床面積割合により配分 ・自動車関係は送迎利用者数割合又は使用高割合で，損害保険料等は延利用者数割合により配分
	・租税公課（支出）	・建物床面積割合により配分 ・自動車関係は送迎利用者数割合又は使用高割合で配分
	・保守料（支出）	保守契約対象物件の設置場所等に基づき事業個別費として区分。 （困難な場合は延利用者数割合により配分）
	・業務委託費（支出）（寝具） （給食） （その他）	各事業の消費金額により区分。 （困難な場合は，延利用者数割合により配分） ・延利用者数割合 ・実際食数割合 ・建物床面積割合 ・延利用者数割合
	・研修研究費（支出）	研修内容等，目的，出席者等の実態に応じて，事業個別費として区分。 （困難な場合は，延利用者数割合により配分）
減価償却費	・建物，構築物等に係る減価償却費	建物床面積割合により区分。 （困難な場合は，延利用者数割合により配分）
	・車輌運搬具，機械及び装置等に係る減価償却費	使用高割合により区分。 （困難な場合は，延利用者数割合により配分）
	・その他の有形固定資産，無形固定資産に係る減価償却費	延利用者数割合により配分
徴収不能額	・徴収不能額	各事業の個別発生金額により区分。 （困難な場合は，各事業別収入割合により配分）
徴収不能引当金繰入	・徴収不能引当金繰入	事業ごとの債権金額に引当率を乗じた金額に基づき区分。 （困難な場合は，延利用者数割合により配分）
支払利息（支出）	・支払利息（支出）	事業借入目的の借入金に対する期末残高割合により区分。 （困難な場合は，次の方法により配分） ・借入金が主として土地建物の取得の場合は建物床面積割合 ・それ以外は，延利用者数割合

3 引当金

将来の特定の費用または損失であって，その発生が当該会計年度以前の事象に起因し，発生の可能性が高く，かつその金額を合理的に見積もることができる場合には，当該会計年度の負担に属する金額を当該会計年度の費用として引当金に繰り入れ，当該引当金の残高を貸借対照表の負債の部に計上または資産の部に控除項目として記載することが求められる。すなわち，一般の企業会計の基準と同様，上記の要件を満たした場合，将来の費用，損失に備えて，あらかじめ引当金としてその事業年度の費用として計上することが求められており，流動項目か固定項目かの表示については，1年基準で判断することとされている（基準28条）。

なお，社会福祉法人会計基準においては，賞与引当金，退職給付引当金の2つの引当金のみについての記載しかないが（基準5条第2項），「社会福祉法人会計基準の制定に伴う会計処理等に関する運用上の留意事項について」においては，従前どおり上記2つの引当金の他に徴収不能引当金が示されている。

以下，3つの引当金について説明をしていく。ただし，旧運用指針18(4)にあった「引当金については，当分の間，原則として上記の引当金（筆者注：徴収不能引当金，賞与引当金，退職給付引当金を指す）に限るものとする」が2016（平成28）年11月11日の改正〔「社会福祉法人会計基準の制定に伴う会計処理等に関する運用上の取扱いについて」の一部改正について〕で削除されたことから，これら以外の引当金についても，会計年度の末日において，将来の費用の発生に備えて，その合理的な見積額のうち当該会計年度の負担に属する金額を費用として繰り入れることにより計上した額を付さなければならない（基準5条第2項）。

1. 徴収不能引当金

社会福祉法人の会計年度末時点で有する債権のうち，徴収不能と見込まれる部分については，合理的な方法によって金額を算定し，徴収不能引当金を計上することが求められている。徴収不能額については，次の2つの方法によって計算された金額の合計額とされている（運用指針 18)。

- 毎会計年度末において徴収することが不可能な債権を個別に判断し，当該債権の徴収不能分を引当金に計上する
- 上記以外の債権（以下「一般債権」という）を，過去の徴収不能額の発生割合に応じて計算した金額を引当金に計上する

すなわち，社会福祉法人の引当金計上についても一般の企業会計と同様，徴収不能の可能性が高い懸念債権については個別に引当金計上し，その他の一般債権については，過去の徴収不能実績に応じた金額を引当金計上することが規定されている（基準４条第４項)。

徴収不能引当金の設定対象債権についても，考慮を加える必要があると考えられる。例えば，特別養護老人ホームでの場合は入居者の負担額（入居料，食事代など）に対する債権と，保険請求による債権が考えられるが，保険請求による債権は国に対する債権であることから，徴収不能となることは現実的ではなく，入居者の負担額に対する債権に対してのみ引当金を設定するのが実態に即したものであると考えられる。

また，徴収不能引当金の対象となった債権がどのサービスに帰属するものかによって，徴収不能引当費用を配分する必要があるため，運営するサービスごとの債権額管理が必要である。

ここで，徴収不能引当金の金額算定にあたり，過去の徴収不能額の発生割合が考慮されるため，実際に社会福祉法人が保有する債権が徴収不能と判定される要件や徴収不能額の計算などについても考慮する必要がある。

会計基準において，社会福祉法人が保有する債権が徴収不能であるかどうかを判定するための詳細な明文規定は存在しない。そこで，社会福祉法

人が保有する債権について，徴収不能と判断するガイドラインを策定し，これに従って判定を行っていく必要がある。特別養護老人ホームを運営する社会福祉法人の場合は，基本的に徴収不能引当金の設定対象債権は，利用者個人に対する債権であることから，一例として以下のようなものが徴収不能と判断する事由として考えられる。

- その債務者（利用者，またはその家族）の資産状況，支払能力等からみて，その全額が回収できないことが明らかであること
- 債務者との取引を停止（利用料を滞納していた利用者，またはその家族と音信不通になるなど）した時以後一定期間が経過していること
- 遠方の債務者の債権が，その回収に必要なコスト（旅費など）より少なく，督促をしても弁済がないこと

また，過去の徴収不能額の発生割合については，いつからいつまでの期間のものを採用するかという点についても検討する必要がある。これについても，社会福祉法人会計基準上は明文規定が存在しないため，徴収不能額の計算と同様，徴収不能割合を求めるガイドラインを設けて運用する必要がある。例えば，以下のとおりである。

- 会計年度の直前３年度の一般債権に対する徴収不能額の発生金額の割合をもって徴収不能額の発生割合とする方法
- 基準となる会計年度（例えば平成○○年３月期から平成××年３月期までの△年度）を定め，この期間中の徴収不能割合をもって徴収不能額の発生割合とする方法

2. 賞与引当金

法人が職員に対して賞与を支給することとされている場合，当該会計年度の負担に属する金額を当該会計年度の費用に計上し，負債として認識すべき残高を賞与引当金として計上するものとされている（基準５条第２項１号）。賞与を支給することとされている場合とは，給与規定等で法人が職員に対して

支給する旨と，例えば以下のような条件が明記されている場合に限られる。

① 支給対象者

以下の要件をすべて満たしている者を対象者とする。

■常勤職員であること

■法人が定める支給基準日に在職していること

② 賞与の支給回数および支給時期

■年2回6月および12月に支給する

■年1回12月に支給する

③ 支給額の計算期間

■6月賞与の支給対象期間は，前年12月1日から5月31日とする

■12月賞与の支給対象期間は，6月1日から11月30日とする

④ 支給額の計算方法

■賞与の支給額は，支給基準日時点の基本給の2ヵ月分とする

■中途入職者は，支給額を支給対象期間中の在職日数で按分した金額とする。

上記のような条件が明記されておらず，事業状況が好調な場合には支給し，不調な場合は支給を見送るような場合や，事業状況によって支給額が変動するような場合は，引当金の計上基準である発生の可能性や，支給額の合理的な見積もりに疑義が生じるため，引当金計上の要件を満たさない。

ここで留意すべきは，賞与支給対象となった職員ごとに，当該職員が従事するサービスへ賞与額を配分する必要がある。配分割合は給与同様，職員ごとに支給される賞与を従事するサービスの割合で配分することが合理的であると考えられる。

3. 退職給付引当金

職員に対し，退職金を支給することが定められている場合には，将来支給する退職金のうち，当該会計年度の負担に属すべき金額を当該会計年度の費用に計上し，負債として認識すべき残高を退職給付引当金として計上

するものとされている（基準５条第２項２号）。

ここでいう将来支給する退職金とは，退職金を支払う事由が発生したときに，法人が退職者に直接支給するものを意味している。すなわち，退職金の原資を外部拠出するような形の退職金（中小企業退職金共済，社会福祉施設職員等退職手当共済等）については，拠出時に費用処理し，引当金計上は不要である。

また，法人が退職者に直接支給する場合，すなわち退職給付引当金を計上する場合において，引当金を計上するためには，賞与引当金同様，給与規定等に支給する旨と，例えば以下のような条件が明記されている場合に限られる。

① 支給対象者

要件をすべて満たしている者を対象者とする。

■常勤職員であること

■常勤職員になった日から起算して３年以上在職していること

② 支給事由

定年退職・在職中の死亡・業務上の傷病による退職・自己都合退職・法人の定める休職期間満了による退職

③ 不支給事由

懲戒解雇された場合

④ 退職金の計算方法

要素をポイント化し，各要素のポイント単価を定め，積算で求めるものとする。要素として，勤続年数・職種・職位・法人への貢献度・退職事由などがある。

上記のような条件が明記されていない場合は，賞与引当金同様，引当金の計上基準である発生の可能性や，支給額の合理的な見積もりに疑義が生じるため，引当金計上の要件を満たさない。ここで留意すべきは，賞与引当金同様，退職給付費用を計上して費用処理する際，対象となる職員ごとにその従事するサービスへ配分しなければならない点である。

4. その他の引当金

上記３つの引当金以外に，たとえば，役員に対して支払う退職慰労金に備えて計上する引当金として役員退職慰労引当金がある。

役員退職慰労金は役員に対し退職慰労金を支給することが定款に定められており，その支給額が規定等により適切に見積もることが可能な場合には，将来支給する退職慰労金のうち，当該会計年度の負担に属すべき金額を当該会計年度の費用に計上し，負債として認識すべき残高を役員退職慰労引当金として計上するものとされている。

4 財務諸表における フローとストックの意味

■ フローとストックの概念 ■

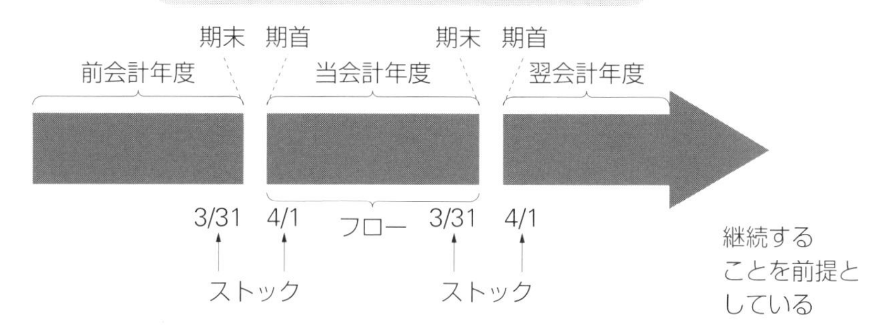

財務諸表には，一定期間の大きさを表すフローの概念と一定時点の大きさを表すストックの概念が存在する。

社会福祉法人の会計期間は，毎年4月1日から始まり，翌年の3月31日に終わるものとされている。この4月1日から翌3月31日までの1年間の金額を表す概念をフローといい，4月1日（期首）や3月31日（期末）の一定時点の金額を表す概念をストックという。

ストックは一定時点の概念であり，法人の財産の増減を知るためには，期首と期末のストックの差額を把握すればよい。しかしながら，単なる差額だけでは，増減のその要因がわからず，ストックの増減のプロセスを把握する必要がある。ここで一定期間のプロセスを表すフローの概念が必要になる。

1. ストックを表す財務諸表

社会福祉法人の当会計年度末における，すべての資産，負債および純資産の状態を明瞭に表示するために作成する財務諸表が貸借対照表であり，3月31日の財政状態であるストックを表している。

2. フローを表す2つの財務諸表

当会計年度の貸借対照表の純資産のすべての増減内容を明瞭に表示するために作成する財務諸表が事業活動計算書であり，1年間の事業活動の状況を表している。また，当会計年度の貸借対照表の流動資産と流動負債の差額として算定される支払資金のすべての増減内容を明瞭に表示するために作成する財務諸表が資金収支計算書であり，1年間の収支の状況を表している。なお，資金収支計算書は事業活動による収支，施設整備等による収支，その他の活動による収支の3つの区分に表示される。これら2つの財務諸表はフローの概念を表す財務諸表である。

3. 3つの財務諸表の関係

期首と期末の貸借対照表の支払資金の増減を表したものが資金収支計算書であり，純資産の差額の増減を表したものが事業活動計算書となり，ストックの差額をフローで表す構造となっている。3つの財務諸表が相互に関連して社会福祉法人の収支の状況，事業活動の状況，および財政状態に関する財務情報を提供している。

5 貸借対照表の意味

■ 貸借対照表の概要 ■

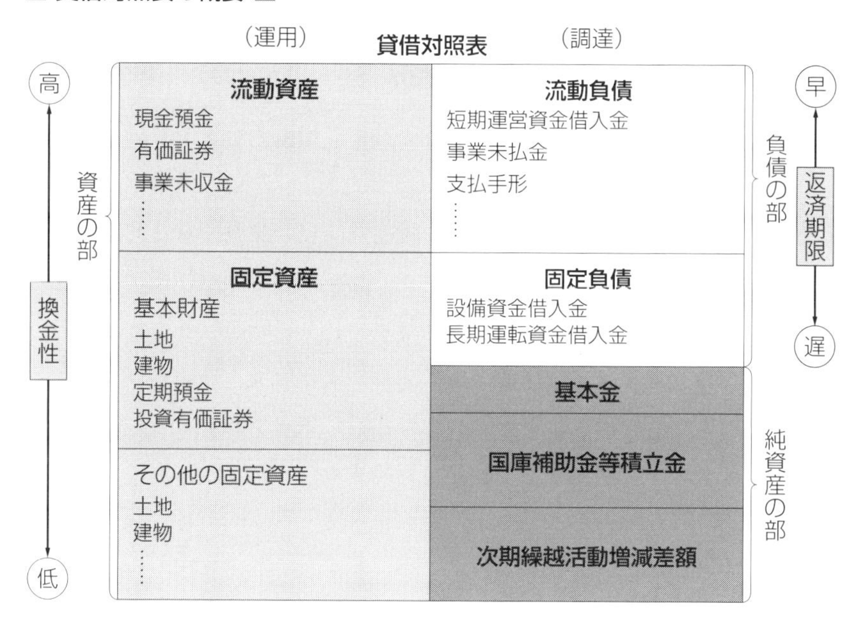

貸借対照表は，社会福祉法人の会計年度の末日である3月31日時点におけるすべての資産，負債，純資産を明瞭に表示した財務諸表である。資産の部，負債の部，純資産の部に区分し，資産の部は流動資産と固定資産，負債の部は固定負債と流動負債に区分しなければならない。

経常的な取引から発生した未収入金，未払金等の債権，債務は流動資産または流動負債に属するものとし（正常営業循環基準），貸付金，借入金等の経常的な取引以外については，貸借対照表日の翌日から起算して1年以内に入金または支払の期日が到来するものは流動項目とし，1年を超えて当該期日が到来するものを固定項目としている（1年基準）。固定資産項目のうち，定款で定めたものは基本財産とされる。資産項目は法人存続の基礎となる固定資産の基本財産を除き，上部に行くほど換金性は高くなり，負債項目は上部に行くほど，返済または支払期限が短くなる。

1. 資金面からみた貸借対照表の意味

貸借対照表の負債および純資産の部は資金の調達源泉を意味し，資産の部は資金の運用形態を意味する。

負債の部に計上されている各種の借入金は，返済期日が到来した時点で資金を返済しなければならない。純資産の部の項目は事業開始等にあたって財源として受領した寄附金の額である基本金等，原則として返済が不要なものである。負債・純資産の部で調達された資金が，決算日において，どのような形態で運用されているかを一覧表に表したものが貸借対照表であり，法人全体を表示することが定められている。ただし，法人の事業区分の情報（社会福祉事業，公益事業，収益事業等）は貸借対照表内訳表および事業区分貸借対照表内訳表で表示され，拠点ごとの情報は拠点区分別貸借対照表内訳表で表示される。

2. 企業会計の貸借対照表との比較

社会福祉施設を経営する法人にあっては，すべての施設についてその施設の用に供する不動産は基本財産としなければならないことや固定資産の処分には所轄庁の承認を得ることが定款に記載されているので，固定資産に基本財産の区分を設けている。また，社会福祉法人は寄附行為で成立した法人であり，株式会社のように経営活動で獲得した利益を株主に配当することを目的とせず，財産の拠出者の持分の概念も存在しないため，純資産の部は維持拘束すべき基本金と来期以降の活動に使用される積立金と次期繰越活動増減差額となっている。

6 資金収支計算書の意味

■ 資金収支計算書の概要 ■

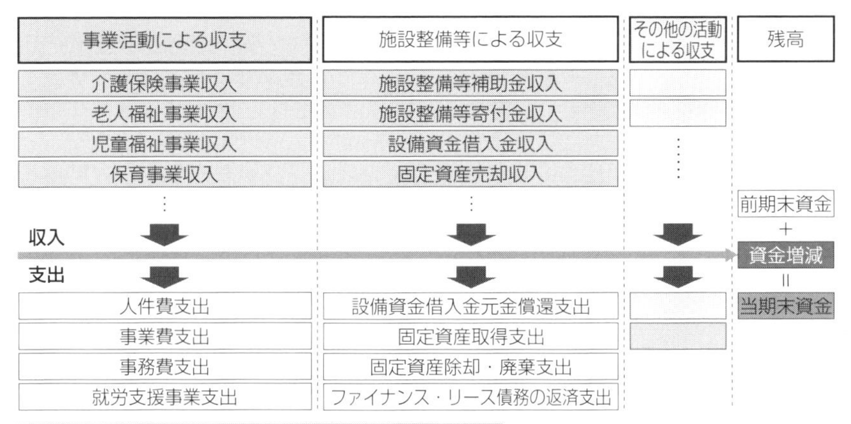

1. 資金収支計算書の概要

資金収支計算書は，社会福祉法人の会計年度である4月1日から3月31日の1年間におけるすべての支払資金の増減内容を明瞭に表示した財務諸表である。事業活動による収支，施設整備等による収支，その他の収支に区分し，それぞれの区分で収入から支出を減じて資金収支差額を表示し，これらの合計に前期末支払資金残高を加算することで，次期支払資金残高を算定している。次期支払資金残高は，当期末の貸借対照表の流動資産と流動負債の差額に一致している（基準12条から15条）。

2. 資金面からみた資金収支計算書の意味

事業活動による収支では，介護保険事業，老人福祉事業，児童福祉事業，保育事業，就労支援事業，障害福祉サービス等事業，および生活保護事業等の事業活動収入からこれらの収入に対応する人件費，事業費，事務費等の支出を差し引くことで，経常的な資金の増減状況を意味する事業活動資金収支差額を表示している。

施設整備等による収支では，固定資産の取得に係る支出および売却に係る収入，施設整備等補助金収入，設備資金借入金収入と借入金の元金の償還支出等の収入から支出を差し引くことで，施設設備の取得とその資金の調達状況を意味する施設整備等資金収支差額を表示している。

その他の活動による収支では，長期運営資金の借入や返済，積立資産の積立または取崩し，投資有価証券の購入や売却等の収入から支出を差し引くことで，その他の活動資金収支差額を記載する。これらのすべてを合計し，当期のすべての活動の状況を表す当期資金収支差額合計を表示している。法人全体を表示する資金収支計算書の他，事業区分の情報は資金収支内訳表および事業区分資金収支内訳表で表示され，拠点ごとの情報は拠点区分計算書で表示される（基準 16 条）。

3. 企業会計のキャッシュ・フロー計算書との比較

企業会計のキャッシュ・フロー計算書は，期首と期末の資金の差額について，当該差額が営業活動，投資活動，財務活動のいずれから発生したものかを表示するものである。資金収支計算書も概ね同様の考え方で，資金の増減内容を表示し，各活動の収支状況に関する情報の提供を行う点では同様の役割を果たすものと考えられる。

ただし，キャッシュ・フロー計算書では資金の範囲を現金および現金同等物としていることや，資金収支計算書では，当該事業年度の決算の額と予算の額と対比して記載すること等が相違する。

7 事業活動計算書の意味

■ 事業活動計算書の概要 ■

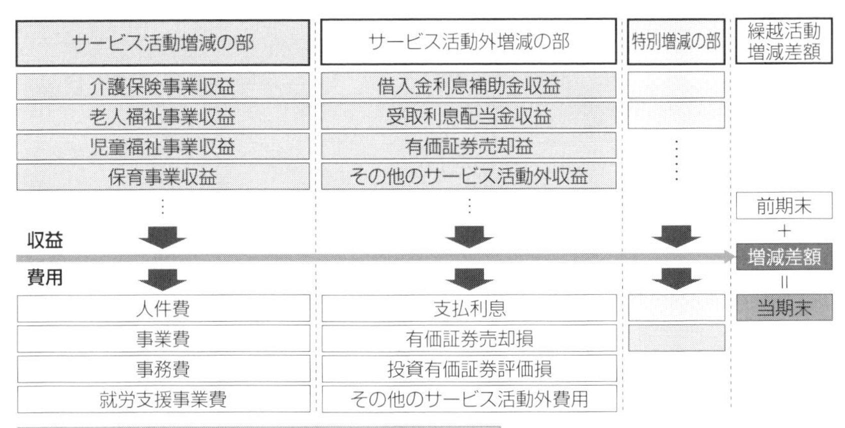

事業活動計算書は，社会福祉法人の会計年度である4月1日から3月31日の1年間におけるすべての純資産の増減内容を明瞭に表示した財務諸表である。サービス活動増減の部，サービス活動外増減の部，特別増減の部に区分し，それぞれの区分で収益から費用を減じて増減差額を表示し，当期繰越活動増減差額を算定する。繰越活動増減差額の部で，前期繰越活動増減差額と基本金，積立金等の増減を考慮し，次期繰越活動増減差額を算定している。これは貸借対照表の純資産の部の次期繰越活動増減差額と一致している（基準19から22条）。

1. 収益と費用面からみた事業活動計算書の意味

サービス活動増減の部では，介護保険事業，老人福祉事業，児童福祉事業，保育事業，就労支援事業，障害福祉サービス等事業，および生活保護事業等のサービス活動収益からこれらの収益に対応する人件費，事業費，事務費等の費用を差し引くことで，社会福祉法人の本来的業務の状況を意味するサービス活動増減差額を表示している。

サービス活動外増減の部では，受取利息配当金，支払利息，有価証券売却損益等のサービス活動以外の活動から毎期経常的に発生する収益から費用を差し引くことで，財務活動の状況を意味するサービス活動外増減差額を表示している。サービス活動増減差額とサービス活動外増減差額の合計を経常増減差額として，財務活動を含めた経常的な活動の状況を表示している。

国庫補助金等の収益や固定資産売却等に係る損益から基本金の組入等の費用を差し引くことで，特別損益増減差額を表示し，これを経常増減差額に加減することで，当期のすべての活動の状況を表す当期活動増減差額を表示している。法人全体を表示する事業活動計算書の他，事業区分の情報は事業活動内訳表および事業区分事業活動内訳表で表示され，拠点ごとの情報は拠点区分事業活動計算書で表示される。

2. 企業会計の損益計算書との比較

企業会計の損益計算書は，売上高から売上原価および販売費および一般管理費を差し引いて本業の良否を意味する営業損益を表示し，これに営業外損益を加減して経常的な活動の良否を意味する経常損益を表示している。経常損益から特別損益と税金費用を加減することですべての活動の成果である当期純利益を表示している。事業活動計算書と概ね同様の考え方で，段階損益を表示し，各活動の状況に関する情報の提供を行う点では同様の役割を果たすものと考えられる。

8 資金収支計算書，事業活動計算書の関連

1. 支払資金の概念

社会福祉法人会計における支払資金とは，流動資産および流動負債（1年基準により固定資産または固定負債から振替えられた流動資産と流動負債，引当金，貯蔵品を除く棚卸資産は支払資金の範囲には含まれない）のことを指す。また，その残高は，流動資産と流動負債の差額をいう（基準13条）。

2. 支払資金と純資産のいずれも増減する取引と一方のみ増減する取引

前述のとおり，資金収支計算書と事業活動報告書は，社会福祉法人が行う活動の結果，財貨の増加，費消具合を測定するための書類であるが，視点が異なるため，いずれも増減する取引，いずれか一方のみ増減する取引が存在する。それぞれ具体例をあげると以下のようになる。

(1) いずれも増減する取引

支払資金と純資産の両方が増減する取引とは，すなわち支払資金の増減を伴う収益，費用を計上する取引である。

具体的には利用者負担金の受領，保険請求額の未収計上，事業費や事務費，人件費の支払，未払計上等があげられる。

(2) 一方のみ増減する取引

支払資金と純資産のいずれか一方のみ増減する取引とは，すなわち支払資金の増減を伴わない収益，費用を計上する取引と，支払資金は増減するが，収益，費用に影響がない取引である。

具体的には，前者は減価償却費計上，国庫補助金等積立金への積立，固定資産の除却や受贈等があげられる。また，後者では固定資産の購入，金

融機関からの借入，借入金元本の返済，未収計上していた収益の回収，未払計上していた費用の支払等があげられる。

3. 仕訳入力

社会福祉法人は取引を仕訳に起こす場合，１取引につき２つの仕訳が必要なケースがある。すなわち，仕訳に支払資金が含まれる取引では，社会福祉法人以外の事業者でも行う取引に関する仕訳と，社会福祉法人特有の資金収支計算書（本章6参照）へ反映させる仕訳の２つの仕訳が必要となってくることに注意が必要である。

4. 仕訳例

具体例として職員に対して給与300，源泉徴収税額20を差し引いて支給した場合の取引について仕訳を考えてみる。

〔貸借対照表，損益計算書上の仕訳〕

（借）職員給与	300	（貸）預り金	20
		現金預金	280

通常の企業会計の仕訳と同様である。

〔資金収支計算書上の仕訳〕

（借）職員給与支出	300	（貸）支払資金	300

支払資金の減少を伴い，支出を計上する取引である。

9 拠点の概念

1. 拠点の意義

社会福祉法人は，財務諸表作成に関して，実施する事業の会計管理の実態を勘案して会計の区分（拠点区分）を設けなければならず，さらにその拠点で実施する事業内容に応じて区分（サービス区分）を設けなければならない（基準10条）。

拠点とは，一体として運営される施設，事業所または事務所をもって1つの拠点区分とすると規定されている。さらに，公益事業（社会福祉事業と一体的に実施されているものを除く）もしくは収益事業を運営している場合，これらは別の拠点区分とするものと規定されている（運用指針4(1)）。ここでいう一体として運営される施設とは，一般的には同一区画内の土地，同一建物内といった物理的に同じ場所で行われているサービスをまとめて1拠点として扱うことと解されるものと考える。

すなわち，拠点区分の概念を図解で示すと次のようになる。

また，社会福祉法人が複数の拠点，複数の事業，複数のサービスを提供する場合，法人全体を管理する部署を設定し，法人のスムーズな運営が行われるように配慮することが望ましい。さらに，社会福祉法人はその事業の特殊性から，経営の健全性や透明性の確保が求められ，法人の経営状況に対する説明責任を果たすことが必要となってくる。

以上を踏まえ，複数の拠点，複数の事業，複数のサービスを提供する社会福祉法人においては，実際に収益を上げるサービス区分とは別に，法人全体の管理運営を行う本部機能を設置し，これを独立したサービス区分として経理を進めることが望ましい。

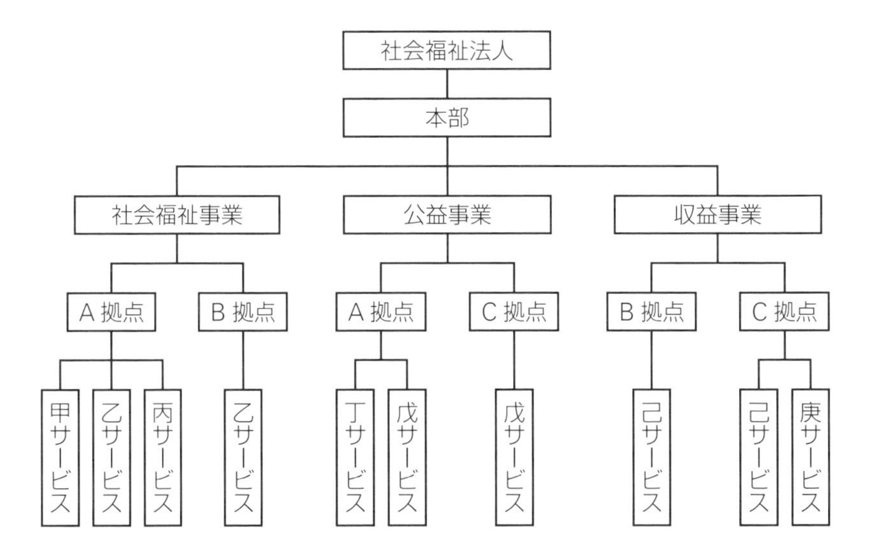

2. 拠点区分上の施設の取扱い

社会福祉法人会計における拠点区分は，基本的な考え方として一体として運営される施設，事業所または事務所をもって1つの拠点区分として扱うこととされているが，特定の施設については，一体として運営されていても，独立した拠点区分として扱うことが求められている（運用指針4(2)ア）。

この特定の施設の中でも診療所を設けている場合，診療所の運営状況によって取り扱いが異なることに注意が必要である。すなわち，入所施設に付属する医務室であれば，同一拠点として扱うものとされ，そうでないものの場合は，別拠点として扱う必要がある。ここでいう「付属する」とは，特段の明文規定は存在しないが，社会福祉法人が運営する社会福祉事業または公益事業の利用者がその受診者のすべてまたは大半を占める場合の診療所が該当するものと考えられる。

10 事業の概念

社会福祉法人は財務諸表作成に関して，社会福祉事業，公益事業，収益事業の区分（事業区分）別に行わなければならないこととされている（基準７条１号・２号）。この事業区分に基づき，取引の記録を行い，決算書に反映させる必要がある。

1. 社会福祉事業（内容については，第１章11 1. 2. 参照のこと）

社会福祉事業は社会福祉法人が行う事業の根幹をなすものである必要があり，社会福祉法人の事業のうち主たる地位を占めるものであること，社会福祉事業に必要な財源の大半を収益事業に求めるような計画の下に行われるものであってはならないことといった条件が設けられている（審査基準第１の１)。

すなわち，社会福祉法人として事業運営をしていくためには，社会福祉事業の運営が当然に法人のメイン事業とならなければならず，基本的に社会福祉事業単独で法人運営が成立することが前提条件であることに注意が必要である。

2. 公益事業

公益事業は，公益を目的とする事業であって，社会福祉事業以外の事業であることと定義されている（審査基準第１の２(1))。社会福祉法人が行う公益事業は何でもよいわけではなく，一定の制限が設けられており，当該法人の行う社会福祉事業の純粋性を損なうおそれのないものであること，社会福祉事業の円滑な遂行を妨げるおそれのないものであることの他，社会福祉事業に対し従たる地位にあること，社会通念上は公益性が認められるものであっても社会福祉と何らかの関係を有するものであることが必要とされている（審査基準第1の2(3)(4)(5)）。

3. 収益事業

収益事業は，社会福祉法人が行う社会福祉事業または公益事業の財源に充てるため，一定の計画の下に収益を得ることを目的として反復継続して行われる行為と定義されており，社会通念上事業と認められる程度のものであることが求められている（審査基準第1の3(1)）。

また，収益事業の範囲については，法人税法施行令5条に列挙されており，社会福祉法人がどの様な収益事業を行うかについては，特段の制限は設けられていない。しかし，社会福祉法人という公益性の高い組織であることも鑑み，法人の社会的信用を傷つけるおそれがあるものまたは投機的なものは適当でない旨が規定されている（審査基準1の3(2)）。これ以外にも，収益事業から生じた収益は，その社会福祉法人が行う社会福祉事業または公益事業の経営に充当すること，社会福祉事業の円滑な遂行を妨げるおそれのないものであること，社会福祉事業に対し従たる地位にあること，社会福祉事業を超える規模の収益事業を行うことは認められないこと，収益事業を行う上で必要な資産は，ほかの社会福祉事業および公益事業の用に供する資産と明確に分離できるものであること，などといった制限が設けられている。

社会福祉法人が運営する診療所については，別途規定が設けられている。診療所は原則医療保険業として，収益事業であると定義されている（法令5条第1項29号）。ただし，同時に日本赤十字社や社会福祉法人，全国健康保険協会や健康保険組合などの一定の法人または組織が行う医療保険業は，その収益事業には該当しないことも定義されている。したがって，社会福祉法人が行う診療所は収益事業に該当しないこととなっている。

11 財務諸表への落とし込み（開示様式）

社会福祉法人会計基準は，社会福祉法人が作成する財務諸表（資金収支計算書，事業活動計算書，貸借対照表）を，4つの様式で作成することを規定している。その4つの様式に関するそれぞれの役割と詳細は以下のとおりである。

1. 1様式

財務諸表1様式は，法人全体の状況を表示した財務諸表である。この様式では，社会福祉法人が事業活動を行うにあたって策定した予算（補正予算を策定している場合は，補正予算）と実績金額との比較が行われる。

2. 2様式

財務諸表2様式は，事業内容を社会福祉事業と公益事業，収益事業の各事業区分別に区分した金額を表示した財務諸表である。

2様式は，社会福祉法人が行う事業が社会福祉事業のみの場合，作成を省略することができるものとされている。

3. 3様式

財務諸表3様式は，2様式で事業区分別にしたものを，さらに拠点区分別に金額を表示した財務諸表である。

3様式は，社会福祉法人が行う事業が1つの拠点で行われている場合，作成を省略することができるものとされている。

ただし，前述のとおり，社会福祉法人が診療所を設けて運営している場合，たとえ同一区画内での運営であったとしても，その診療所は原則として独立した拠点として扱う事とされているため，作成は省略できないことに留意すべきである。

4. 4様式

財務諸表4様式は，社会福祉事業と公益事業の事業ごとの区分は行わず，拠点区分ごとに分割した財務諸表である。

以上の財務諸表4様式をまとめると図表のようになる（モデル経理規程）。

■ 基準による財務諸表等 ■（ （アミかけ）部分の様式は120～125頁に掲載）

		資金収支計算書	事業活動計算書	貸借対照表
財務諸表	法人全体	第1号1様式 資金収支計算書	第2号1様式 事業活動計算書	第3号1様式 貸借対照表
	法人全体 （事業区分別）	第1号2様式 資金収支内訳表	第2号2様式 事業活動内訳表	第3号2様式 貸借対照表内訳表
		○◎	○◎	○◎
	事業区分 （拠点区分別）	第1号3様式 事業区分資金収支内訳表	第2号3様式 事業区分事業活動内訳表	第3号3様式 事業区分貸借対照表内訳表
		◎△	◎△	◎△
	拠点区分 （一つの拠点を表示）	第1号4様式 拠点区分資金収支計算書	第2号4様式 拠点区分事業活動計算書	第3号4様式 拠点区分貸借対照表

○ 事業区分が社会福祉事業のみの法人は，作成を省略できる。
◎ 拠点区分が1つの法人の場合，作成を省略できる。
△ 事業区分に1つの拠点区分しか存在しない場合，作成を省略できる。

12 財務諸表の添付書類

社会福祉法人が財務諸表を作成する際，前述の1様式から4様式のほか，次のような書類の作成も求められている。

1. 財産目録

社会福祉法人の会計年度末時点におけるすべての資産および負債に関する事項を記載した書類である。その詳細は以下のように規定されており，右頁の図表のように記載する〔「社会福祉法人会計基準の制定に伴う会計処理等に関する運用上の取扱いについて」の一部改正について（別紙4)〕。なお，新会計基準では計算書類等として作成が求められている。

- 会計年度末現在におけるすべての資産および負債につき，その名称，数量，金額等を詳細に表示するものであること（基準31条）。
- 貸借対照表の区分に準じ，資産の部と負債の部に区分し，純資産の額を示すものであること（基準32条）。
- 記載される金額は，貸借対照表記載の金額と同一であること（基準33条）。
- 法人全体を表示するものであること（基準34条）。
- よって，差引純資産は貸借対照表の部合計と一致することとなる。

2. 附属明細書

附属明細書とは，資金収支計算書，事業活動計算書および貸借対照表の内容を捕捉する重要な事項を表示するものとされており，以下のような構成であることが求められている。

① 資金収支計算書，事業活動計算書，および貸借対照表の内容を補足する重要な事項を表示すること（基準30条第1項）。

② 1号から19号の附属明細書を作成する（基準30条第1項各号）。

別紙4

財　産　目　録

平成　　　年　　　月　　　日現在

（単位：円）

貸借対照表科目	場所・物量等	取得年度	使用目的等	取得価額	減価償却累計額	貸借対照表価額
Ⅰ　資産の部						
1　流動資産						
現金預金						
現金	現金手許有高	—	運転資金として	—	—	×××
普通預金	○○銀行○○支店他	—	運転資金として	—	—	×××
	小計					×××
事業未収金		—	○月分介護報酬等	—	—	×××
………	………	—	………	—	—	………
流動資産合計						×××
2　固定資産						
(1)　基本財産						
土地	(A拠点) ○○市○○町1-1-1	—	第1種社会福祉事業である，○○施設等に使用している	—	—	×××
	(B拠点) ○○市○○町2-2-2	—	第2種社会福祉事業である，▲▲施設等に使用している	—	—	×××
	小計					×××
建物	(A拠点) ○○市○○町1-1-1	19××年度	第1種社会福祉事業である，○○施設等に使用している	×××	×××	×××
	(B拠点) ○○市○○町2-2-2	19××年度	第2種社会福祉事業である，▲▲施設等に使用している	×××	×××	×××
	小計					×××
定期預金	○○銀行○○支店他	—	寄附者により○○事業に使用することが指定されている	—	—	×××
投資有価証券	第○回利付国債他	—	特段の指定がない	—	—	×××
………	………	—	………	—	—	………
基本財産合計						×××
(2)　その他の固定資産						
土地	(○拠点) ○○市○○町3-3-3	—	5年後に開設する○○事業のための用地	—	—	×××
	(本部拠点) ○○市○○町4-4-4	—	本部として使用している	—	—	×××
	小計					×××
建物	(C拠点) ○○市○○町5-5-5	20××年度	第2種社会福祉事業である，訪問介護事業所に使用している	×××	×××	×××
車輌運搬具	○○他3台	—	利用者送迎用	×××	×××	×××
○○積立資産	定期預金 ○○銀行○○支店他	—	将来における○○の目的のために積み立てている定期預金	—	—	×××
………	………	—	………	—	—	………
その他の固定資産合計						×××
固定資産合計						×××
資産合計						×××
Ⅱ　負債の部						
1　流動負債						
短期運営資金借入金	○○銀行○○支店他	—		—	—	×××
事業未払金	○月分水道光熱費他	—		—	—	×××
職員預り金	○月分源泉所得税他	—		—	—	×××
………		—		—	—	………
流動負債合計						×××
2　固定負債						
設備資金借入金	独立行政法人福祉医療機構他	—		—	—	×××
長期運営資金借入金	○○銀行○○支店他	—		—	—	×××
………	………	—		—	—	………
固定負債合計						×××
負債合計						×××
差引純資産						×××

(記載上の留意事項)
- 土地，建物が複数ある場合には，科目を拠点区分毎に分けて記載するものとする。
- 同一の科目について控除対象財産に該当し得るものと，該当し得ないものが含まれる場合には，分けて記載するものとする。
- 科目を分けて記載した場合は，小計欄を設けて，「貸借対照表価額」欄と一致させる。
- 「使用目的等」欄には，社会福祉法第55条の2の規定に基づく社会福祉充実残額の算定に必要な控除対象財産の判定を行うため，各資産の使用目的を簡潔に記載する。
  なお，負債については，「使用目的等」欄の記載を要しない。
- 「貸借対照表価額」欄は，「取得価額」欄と「減価償却累計額」欄の差額と同額になることに留意する。
- 建物についてのみ「取得年度」欄を記載する。
- 減価償却資産（有形固定資産に限る）については，「減価償却累計額」欄を記載する。なお，減価償却累計額には，減損損失累計額を含むものとする。
  また，ソフトウェアについては，取得価額から貸借対照表価額を控除して得た額を「減価償却累計額」欄に記載する。
- 車輌運搬具の○○には会社名と車種を記載すること。車輌番号は任意記載とする。
- 預金に関する口座番号は任意記載とする。

附属明細書については，法人全体で作成するものと，拠点区分で作成するものがある。また，該当する事由がない場合は，作成の省略が認められている（基準30条3項）。

⑴ 法人全体で作成する明細書（1号～7号）

- 借入金明細書
- 寄附金収益明細書
- 補助金事業等収益明細書
- 事業区分間および拠点区分間繰入金明細書
- 事業区分間および拠点区分間貸付金（借入金）残高明細書
- 基本金明細書
- 国庫補助金等特別積立金明細書

⑵ 法人全体で作成する必要はないものとされ拠点区分で作成するもの（8号～19号）

- 基本財産およびその他の固定資産（有形・無形固定資産）の明細書
- 引当金明細書
- 拠点区分資金収支明細書
- 拠点区分事業活動明細書
- 積立金・積立資産明細書
- サービス区分間繰入金明細書
- サービス区分間貸付金（借入金）残高明細書

2つ以上の事業を一体として行う多機能型事業所の場合は，以下の明細書を作成することになる（15号～19号）。

- 就労支援事業別事業活動明細書
- 就労支援事業製造原価明細書
- 就労支援事業販管費明細書
- 就労支援事業明細書
- 授産事業費用明細書

3. 注記

社会福祉法人の計算書類に関連して記載しなければならない注記は以下のとおりである（基準29条）。なお，法人全体では15項目，拠点区分別では2～11，14，15の項目を記載，拠点区分の数が1つの法人については記載は省略できる。

計算書類の注記（以下の15項目　記載内容がない場合は「該当なし」と記載）

1　継続企業の前提に関する注記
2　資産の評価基準および評価方法，固定資産の減価償却方法，引当金の計上基準等財務諸表の作成に関する重要な会計方針
3　重要な会計方針を変更したときは，その旨，変更の理由および当該変更による影響額
4　法人で採用する退職給付制度
5　法人が作成する計算書類等と拠点区分，サービス区分
6　基本財産の増減の内容および金額
7　基本金または固定資産の売却もしくは処分に係る国庫補助金等特別積立金の取崩しを行った場合には，その旨，その理由および金額
8　担保に供している資産
9　固定資産について減価償却累計額を直接控除した残額のみを記載した場合には，当該資産の取得価額，減価償却累計額および当期末残高
10　債権について徴収不能引当金を直接控除した残額のみを記載した場合には，当該債権の金額，徴収不能引当金の当期末残高および当該債権の当期末残高
11　満期保有目的の債券の内訳ならびに帳簿価額，時価および評価損益
12　関連当事者との取引の内容
13　重要な偶発債務
14　重要な後発事象
15　その他社会福祉法人の資金収支および純資産の増減の状況ならびに資産，負債および純資産の状態を明らかにするために必要な事項

4. その他－各自治体や福祉医療機構，全国老人福祉施設協議会等への施設状況報告

社会福祉法人は，その運営する施設が所在する自治体や，福祉医療機構から融資を受けている場合，全国老人福祉施設協議会へ加入している場合などは，これらの組織の求めに応じて，定期的に社会福祉法人の施設の状況や人員の状況，給与の支払い状況など，社会福祉法人の状況に関する報告書を提出する必要がある。この報告書の対応も煩雑で手間のかかるものであるため，平常時から施設の状況や人員の状況，給与の支払い状況などについて把握し，記録しておくことが必要である。

13 予算の仕組み

社会福祉法人会計では，毎会計年度開始前に，理事長において予算を編成し，理事総数の3分の2以上の同意を得なければならないこととされている（定款例33条）。また，その予算は法人が策定した事業計画に基づいたものでなければならず，法人はすべての収入および支出について予算を編成し，予算に基づいて事業計画を行う事，さらに，年度途中において予算と実績との間に乖離等が見込まれる場合は，法人の運営に支障がなく，軽微な範囲にとどまる場合を除き，必要な収入および支出について補正予算を編成することも求められている（運用指針2⑴⑵）。

以上のように，社会福祉法人では，適正な計画の下で策定された事業計画に基づき，予算を編成し，それに沿う形で事業を進めることが必要となる。

1. 当初予算

⑴ 基本方針

社会福祉法人が会計年度前に予算を編成する場合，基本的には前期事業実績に基づいて編成することが基本線となる。また，ここで設備投資計画や人員の採用計画，金融機関からの資金調達計画等，通常の事業活動以外の取引なども予測し，予算に盛り込んでおく必要があることに留意すべきである。

⑵ 拠点区分

予算は，法人全体だけでなく，拠点区分ごとにも策定する必要がある。社会福祉法人が作成する財務諸表の第4様式（拠点区分ごとの財務諸表）でも予算と実績との比較が行われるためである。

2. 補正予算

社会福祉法人が当初編成した予算から，大きく乖離し，法人の運営に支障が出ることが見込まれる場合，補正予算の編成が求められる（運用指針2(2)）。

当初予算が実績と大きく乖離する理由は次のようなものがあげられるが，乖離が生じた場合は，速やかに補正予算の編成に取り掛かるのが望ましく，それとあわせて当初予算との乖離が生じた原因を分析し，翌年度の予算編成に反映させることも必要である。

① 予想外の収入の増減
- 利用者の急激な増減
- 寄附金収入
- 金融機関からの資金調達

② 予想外の支出の増減
- 建物，車両等の補修，購入
- 予想外の事故等トラブル対応
- 専門家への報酬

3. 来期予算

来期予算については，当期の実績に基づいた事業計画の手直しを行い，当初予算と同様の方針で編成を行う。

○ 予算金額と実績金額の関係

社会福祉法人の予算策定，再策定の際，予算金額が最終実績金額を上回るように設定することが望ましい。これは明文規定として存在していないものの，都道府県からの指導監査時に指摘を受けるケースが見受けられるためである。

14 社会福祉充実残額と社会福祉充実計画

1. 社会福祉充実残額の算定と社会福祉充実計画の策定

社会福祉法55条の2の規定に基づき，2017（平成29）年4月1日以降，すべての社会福祉法人は，毎会計年度，その保有する財産について，事業継続に必要な財産を控除した上で，再投下可能な財産である「社会福祉充実残額」を算定し，開示しなければならない。

さらに，その結果，社会福祉充実残額が生じる（プラスになる）場合には，社会福祉法人は，社会福祉充実計画を策定し，それに従って，地域の福祉ニーズなどを踏まえつつ，当該残額を計画的かつ有効に再投下していく必要がある。

2. 社会福祉充実残額の算定および社会福祉充実計画の策定の趣旨

これまでの制度においては，法人が保有する財産の分類や取扱いに係るルールが必ずしも明確でなく，公益性の高い非営利法人として，これらの財産の使途などについて明確な説明責任を果たすことが困難であったため，内部留保が多すぎるなどのいわれのない批判を受けるようなこともあった。

このような社会的な期待ギャップを解消するため，法人は，毎会計年度，貸借対照表の資産の部に計上した額から，負債の部に計上した額を控除して得た額が，事業継続に必要な財産額である「控除対象財産」を上回るかどうかを算定し，これを上回る財産額の社会福祉充実残額がある場合には，それを財源として，既存の社会福祉事業もしくは公益事業の充実または新規事業の実施に関する計画である「社会福祉充実計画」を策定し，これに基づく事業の「社会福祉充実事業」を実施しなければならない（承認事務基準1）。

3. 社会福祉充実残額の算定式

社会福祉充実残額は以下のように算定する。なお，算定の根拠として必要な届出様式は「社会福祉充実残額算定シート」〔「社会福祉法人が届け出る『事業の概要等』等の様式について」別紙2〕を使用する。

社会福祉充実残額 ＝ ①活用可能な財産 － （②社会福祉法に基づく事業に活用している不動産等 ＋ ③再取得に必要な財産 ＋ ④必要な運転資金）

① 活用可能な財産

＝ 資産 － 負債 － 基本金 － 国庫補助金等特別積立金

② 社会福祉法に基づく事業に活用している不動産等

＝ 財産目録により特定した事業対象不動産等に係る貸借対照表価額の合計額 － 対応基本金 － 国庫補助金等特別積立金 － 対応負債

③ 再取得に必要な財産

＝ 1）将来の建替に必要な費用 ＋ 2）建替までの間の大規模修繕に必要な費用 ＋ 3）設備・車両等の更新に必要な費用

1）将来の建替に必要な費用 ＝ （建物に係る減価償却累計額 × 建設単価等上昇率） × 一般的な自己資金比率

2）建替までの間の大規模修繕に必要な費用 ＝ （建物に係る減価償却累計額 × 一般的な大規模修繕費用割合） － 過去の大規模修繕に係る実績額

3）減価償却の対象となる建物以外の固定資産（②において財産目録で特定したものに限る）に係る減価償却累計額の合計額

④ 必要な運転資金

＝ 年間事業活動支出の$\frac{3}{12}$月分

4. 社会福祉充実残額算定からの流れ

⑴　社会福祉充実残額が生じる（プラスになる）場合

社会福祉充実残額の計算の過程においては，1円未満の端数が生じる場合は切り捨て，最終的な計算の結果において1万円未満の端数が生じる場合には切り捨てることとされている（承認事務基準3⑵）。

社会福祉充実残額が0円以下である場合には，社会福祉充実計画の策定は不要とされるが，1万円以上である場合には，原則として社会福祉充実計画を策定し，必要な手続（承認事務基準4～8）を経た上で，策定した計画に基づき，社会福祉充実事業を行うことが必要とされている。

しかしながら，その社会福祉充実残額が例えば10万円など極めて少額であり，社会福祉充実計画を策定するコストと比較して，これを下回るような場合には，事実上，社会福祉充実事業の実施が不可能なものと考えられるため，あえて社会福祉充実計画を作成することは要しないとされている。ただし，これとほかの財源を組み合わせ，一定の財源を確保することにより，社会福祉充実計画を策定し，これに基づき社会福祉充実事業を実施することは法人の任意とされている（充実計画Q&A問39）。

なお，上記計算式の各種指標については，独立行政法人福祉医療機構が構築する「社会福祉法人の財務諸表等電子開示システム」によるデータ等を踏まえ，毎年度検証を行い，必要に応じて見直しを行う必要がある。

⑵　特例事項（承認事務基準3⑺）

社会福祉充実残額の算定にあたって，特例措置が認められている。

「主として施設・事業所の経営を目的としていない法人等」であって，現に社会福祉事業等の用に供している土地・建物を所有していない場合，または当該土地・建物の価額が著しく低い場合の控除対象財産については，将来的な事業用土地・建物の取得も考慮し，社会福祉充実残額の算定式にかかわらず，年間事業活動支出全額を控除することができる。

上記でいう「当該土地・建物の価額が著しく低い場合」とは，具体的には，再取得に必要な財産の算定（承認事務基準3⑸）および必要な運転資金の算定（承認事務基準3⑹）の結果の合計額と年間事業活動支出（年間事業活動支出の3ヵ月分で，資金収支計算書における事業活動支出に12分の3を乗じて得た額；承認事務基準3⑹②）を比較して，当該合計額が年間事業活動支出を下回る場合をいう。

なお，この場合，再取得に必要な財産の算定および必要な運転資金の算定の結果については，控除しないこととしている。

5. 社会福祉充実計画の策定から終了までの流れ

社会福祉充実計画の策定することになった場合，策定から終了までは下記のような流れになる。

① 社会福祉充実残額の算定
② 社会福祉充実計画原案の作成
③ 地域協議会等からの意見聴取
④ 公認会計士・税理士等からの意見聴取
⑤ 評議員会の承認
⑥ 所轄庁への申請
⑦ 計画に基づく事業実施
⑧ 社会福祉充実計画の変更
⑨ 社会福祉充実計画の終了
⑩ 社会福祉充実計画の公表
⑪ 社会福祉充実事業に係る実績の公表
⑫ 社会福祉充実計画の保存

15 社会福祉充実計画の策定

本章「14社会福祉充実残額と社会福祉充実計画」で示した社会福祉充実残額の算定方法に則り，社会福祉充実残額を算定した結果，その値がプラスになった場合には，社会福祉充実計画を作成し，社会福祉充実残額が生じた会計年度の翌会計年度の6月30日までに，法59条の届出と同時に所轄庁に対して申請を行う必要があるとされている。

1. 社会福祉充実計画原案の策定

(1) 社会福祉充実計画に記載すべき内容（承認事務基準4(1)）

① 既存事業の充実または新規事業（社会福祉充実事業）の規模および内容

② 事業区域

③ 社会福祉充実事業の事業費

④ 社会福祉充実残額

⑤ 計画の実施期間

⑥ 法人名，法人の所在地，連絡先等の基本情報

⑦ 社会福祉充実残額の使途に関する検討結果

⑧ 資金計画

⑨ 公認会計士・税理士等からの意見聴取年月日

⑩ 地域協議会等の意見の反映状況

⑪ 計画の実施期間が5ヵ年度を超える理由など

(2) 社会福祉充実計画に位置付ける事業の種類

次に掲げる事業の全部またはいずれかを実施する（承認事務基準4(2)）。

① 社会福祉事業法および法2条第4項4号に規定する事業に該当する公益事業

② 地域公益事業

③ 公益事業のうち，①および②に係る事業以外のもの

なお，①から③までに掲げる事業の順に，その実施について検討を行う。

(3) 社会福祉充実計画の実施期間

社会福祉充実計画は，原則として，社会福祉充実残額を算定した会計年度の翌会計年度から5ヵ年度以内の範囲で，計画策定段階における社会福祉充実残額の全額について，一または複数の社会福祉充実事業を実施するための内容とすることが求められる。ただし，一定の合理的な理由（充実計画Q&A問48）があると認められる場合には，当該理由を計画に記載した上で，その実施期間を10ヵ年度以内とすることができる（承認事務基準4(4)）。

(4) 社会福祉充実事業に活用する社会福祉充実残額の範囲の特例

社会福祉充実残額については，社会福祉充実計画の実施期間の範囲で，その全額を活用することを原則とするが，最初に策定する社会福祉充実計画において，社会福祉充実残額の全額を費消することが必ずしも合理的でない場合には，当分の間，合理的な理由が認められる場合には，当該理由を記載した上で，社会福祉充実残額の概ね2分の1以上を社会福祉充実事業に充てることを内容とする計画を策定することができる（承認事務基準4(5)）。

2. 社会福祉充実計画原案策定後の進め方

(1) 公認会計士・税理士等への意見聴取

社会福祉充実計画原案の策定後，次に掲げる内容について，公認会計士または税理士等の財務の専門家への意見聴取を行う（法55条の2)。

なお，財務の専門家とは，公認会計士，税理士のほか，監査法人，税理士法人をいうものであり，法人の会計監査人や顧問税理士，これらの資格

を有する評議員，監事等（理事長を除く）であっても差し支えない（承認事務基準5)。

① 社会福祉充実残額の算定関係

ア 社会福祉法に基づく事業に活用している不動産等に係る控除の有無の判定

イ 社会福祉法に基づく事業に活用している不動産等の再計算

ウ 再取得に必要な財産の再計算

エ 必要な運転資金の再計算

オ 社会福祉充実残額の再計算

② 法人が行う社会福祉充実事業関係

カ 事業費の再計算

⑵ 地域協議会等への意見聴取

地域公益事業を行う社会福祉充実計画を策定する場合には，次に掲げる内容について，地域協議会等への意見聴取を行う（承認事務基準6)。

① 地域の福祉課題

② 地域に求められる福祉サービスの内容

③ 自ら取り組もうとしている地域公益事業に対する意見

④ 関係機関との連携

⑶ 評議員会の承認

上記手続を経て必要な意見聴取を行った社会福祉充実計画原案は，評議員会に諮り，その承認を得た上で，法人としての社会福祉充実計画原案を確定する。

評議員会の承認が，法人としての社会福祉充実計画原案確定の最終工程であるため，例えば評議員会の承認後に公認会計士・税理士等に原案の内容についての確認書の作成を依頼するなどした場合で，その確認の結果，社会福祉充実計画原案を修正する場合には，再度，評議員会に修正後の原案について承認を得る必要がある（充実計画Q&A問49)。

なお，評議員会に先立って，理事会においてもその承認を得ることが必要である（承認事務基準7)。

(4) 所轄庁への承認申請

評議員会の承認を得た社会福祉充実計画原案は，別紙様式例（承認事務基準別紙4）により，社会福祉充実残額が生じた会計年度の翌会計年度の6月30日までに，法59条の届出と同時に所轄庁に対して申請を行うこと。申請を行う際の留意点は下記のとおりである（承認事務基準8，施規6条の13)。

① 計画案に必要事項が記載されているか

② 計画案の策定にあたって法において必須とされている手続が行われているか

③ 計画案の内容に，次に掲げる視点から著しく合理性を欠く内容が含まれていないか（法55条の2第9項1～3号）

ア 社会福祉充実残額と事業の規模および内容の整合性

イ 社会福祉事業が記載されている場合，事業区域における需要・供給の見通しとの整合性

ウ 地域公益事業が記載されている場合，事業区域における需要・供給の見通しとの整合性

④ 計画案の内容が，申請時点における介護保険事業計画や障害福祉計画，子ども子育て支援事業計画等の行政計画との関係において，施設整備等の観点から実現不可能な内容となっていないか

なお，社会福祉充実計画原案の承認申請のために必要な添付資料は，「社会福祉法第55条の2の規定に基づく社会福祉充実計画の承認等について」別紙4様式例①を参照いただきたい。

16 社会福祉充実計画の実施

1. 社会福祉充実計画に基づく事業実施

所轄庁の承認を得た後，法人は，承認社会福祉充実計画に従って事業を実施しなければならない。社会福祉充実事業の開始時期は所轄庁の承認日以降とすることになるが，事業の開始の後，承認社会福祉充実計画に従って事業を実施することが困難となった場合には，下記に示すとおり，当該計画の変更または終了手続を行うことが必要となる（承認事務基準9から11）。

なお，2年目以降，社会福祉充実計画の変更を行わない限りにおいては，社会福祉充実残額を算定し，その結果（社会福祉充実残額算定シート）を計算書類等とともに，所轄庁あてに届け出ることで足りる。

(1) 社会福祉充実計画の変更

社会福祉充実計画の変更を行う場合については，軽微な変更を行う場合を除き，別紙6様式例により，所轄庁に対して変更承認の申請を行う。社会福祉充実計画は，承認申請時点における将来の社会福祉充実残額の使途を明らかにするという趣旨のものであることから，社会福祉充実残額の増減のみを理由に変更を行うことは要しないが，残額に併せて事業費の変更を希望する場合や，計画上の社会福祉充実残額と，毎会計年度における社会福祉充実残額に大幅な乖離が生じた場合には，再投下可能な事業費にも大きな影響を及ぼすことから，原則として社会福祉充実計画の変更を行う必要がある。

(2) 社会福祉充実計画の終了

社会福祉充実計画の実施期間中に，やむを得ない事由により当該計画に従って事業を行うことが困難である場合には，別紙7様式例①，②により，あらかじめ所轄庁の承認を受けて社会福充実計画を終了することができる。

ここでいう「やむを得ない事由」とは，以下のようなものである。

■社会福祉充実事業に係る事業費が見込みを上回ることなどにより，社会福祉充実残額が生じなくなることが明らかな場合

■地域の福祉ニーズの減少など，状況の変化により，社会福祉充実事業の実施の目的を達成し，または事業の継続が困難となった場合

2. その他

社会福祉充実計画については，下記のように社会福祉充実計画および社会福祉充実事業に係る実績の公表のほか，計画の保存期間についても定めがある（承認事務基準12(1)から(3)）。

(1) 社会福祉充実計画の公表

次に掲げる場合については，法人のホームページなどにおいて，直近の社会福祉充実計画を公表する。

■社会福祉充実計画を策定し，所轄庁にその承認を受けた場合

■社会福祉充実計画を変更し，所轄庁にその承認を受け，または届出を行った場合

なお，社会福祉法施行規則10条第2項の規定に基づき，法人が電子開示システムを活用して社会福祉充実計画の公表を行うときは，これを行ったものとみなすことができる。

(2) 社会福祉充実事業に係る実績の公表

社会福祉充実計画に記載した社会福祉充実事業に係る実績については，毎年度，法人のホームページなどにおいて，その公表に努める。

(3) 社会福祉充実計画の保存

社会福祉充実計画は，法人において，計画の実施期間満了の日から10年間保存する必要がある。

17 決算スケジュールと監査

1. 決算書類の作成

社会福祉法人の会計年度は4月1日から翌年3月31日までとされている（法45条の23第2項）。社会福祉法人は3月31日で会計年度が終了した後，3ヵ月以内に貸借対照表，収支計算書および事業報告を作成しなければならない（法45条の27第2項）。なお財産目録（法45条の34）も同様である。

決算書類は作成されたのち，監事による監査，理事会および評議員会の承認を経て確定される。

法律上の決算書類作成の期日は会計年度終了後3ヵ月以内であるが，後述の監事による会計監査や理事会，評議会の承認，所轄庁への提出も会計年度終了後3ヵ月以内に行わなければならないため，実務上はその日程を見込んで作成する必要がある。

2. 監事による監査

作成された決算書類は，監事へ回付される。監事は回付された決算書類につき，以下のような書類とあわせて会計監査を実施し，監査報告書を作成する必要がある。作成された監査報告書は決算理事会において報告されることになる。

① 経理規程
② 会計帳簿
③ 予算
④ 出納・財務
⑤ 契約状況
⑥ 資産の管理状況

また，監事は理事の意思決定および業務執行についての適法性の監査（業務監査）も実施する。

3. 会計監査人による会計監査（第3章12参照）

一定規模を超える社会福祉法人には，会計監査人（公認会計士または監査法人）による監査を受けることが義務付けられた（法37条，法45条の2第1項）。

4. 理事会による承認，決算書類の備え置き

社会福祉法人が作成し監査を経た決算書類は，理事会において承認を受けなければならない（法45条の28第3項）。さらに，理事は計算書類等を定時評議員会に提出し承認を受けなければならない（法45条の30第2項）。また事業報告の内容も報告される。

承認された決算書類（監査報告書を含む）は，社会福祉法人の各事務所に備え置くとき，請求があった場合には，正当な理由がある場合を除いて，閲覧に供さなければならない（法59条の2）。

5. 所轄庁への提出

理事会および評議員会の承認を受けて確定した決算書類は，3ヵ月以内に所轄庁へ提出しなければならない（法59条）。所轄庁とは，社会福祉法人の主たる事務所が所在する都道府県であるが，権限移譲により提出先が市町村となっている場合もあるため，事前に確認しておく必要がある。

6. 情報開示（法人の業務および財務等に関する情報）

社会福祉法人は，事業報告書，財産目録，貸借対照表，収支計算書および監査報告書等を公表しなければならない（法59条の2）とされている（本章1 3.参照）。

18 法人税等

1. 納税義務

社会福祉法人は，原則として法人税等は非課税であるが，収益事業を行っている場合，収益事業の所得に対しては法人税等の納税義務がある（法法4条第1項）。したがって，収益事業を行っている場合，社会福祉事業，公益事業，収益事業の収益や経費との区分を特に注意して行わなければならない。

2. 税率

(1) 法人税

社会福祉法人が行う収益事業に対する法人税率は，法人税法上は19%と設定されている（法法66条第3項）。現在は租税特別措置法の規定により，平成24年4月1日から平成31年3月31日までの間に開始する事業年度については，法人税率は15%に設定されている（租特法42条の3の2第1項）。

(2) 都道府県民税，市町村民税

社会福祉法人には原則として，都道府県民税および市町村民税は課税されないが，収益事業を行っている場合は，法人税と同様，都道府県民税と市町村民税も納税義務が生じる（地法25条第1項，地法296条第1項）。その際の税率については特段の規定が設けられていないことから，普通法人と同じ税率により計算した税額を納付する必要がある。ただし，都道府県民税，市町村民税の法人税割は法人税額をベースに計算されるため，法人税率が優遇されている事で自動的にこちらも優遇されていることになる。

均等割についても，原則として非課税となっているが，収益事業を行っている場合は納税義務がある（地法25条第2項）。ただし，社会福祉法人

が行う収益事業のうち，次のいずれかに該当するものについては，収益事業を行っていないものとみなされ，均等割は免除されることとなっている（地令7条の4）。

■ その事業により生じた所得の100分の90以上の金額をその社会福祉法人が行う社会福祉事業に充てているもの
■ 社会福祉事業への寄附はないが，収益事業に係る所得の金額がないもの（赤字を含む）

つまり，赤字である場合はもちろんのこと，収益事業の運営によって生じた所得の大半を社会福祉事業に充てる，という社会福祉法人が収益事業を行う前提を崩さないかぎり，地方税の均等割が課されることはないということである。

3. 留意事項

社会福祉法人が行う事業のうち，収益事業については法人税等が課税されることになるのは前述したとおりである。この件につき，収益事業を行っている社会福祉法人は，社会福祉事業，公益事業，収益事業の各事業に係る収益，費用の金額の配分計算には十分注意する必要がある。特に社会福祉事業，公益事業（法人税等が非課税になる事業）と収益事業（法人税等が課税される）にまたがって係る経費について，請求書が分けられていない場合，社会福祉事業と公益事業，収益事業にそれぞれ帰属する経費の計算を行う必要がある。

税額に影響するところであるので，社会福祉事業，公益事業，収益事業に帰属する経費は厳密に区分しなければならない。少なくとも社会福祉事業，公益事業に係るものと，収益事業に係るものと請求書を分けて発行するよう支払先に依頼するなど，明確な区分をしていくことが望ましいと考える。

19 寄附金と租税特別措置法の取扱い

1. みなし寄附金損金算入制度

社会福祉法人が行う収益事業に属する資産のうちから，その社会福祉法人が行う社会福祉事業または公益事業のために支出した金額は，その収益事業に係る寄附金とみなされる（法法37条第5項）。その際の損金算入限度額は以下の金額のうちいずれか大きい金額とされている（法令73条第1項3号ロ）。

① その事業年度の所得の金額の100分の50に相当する金額

② 200万円

社会福祉法人が行う収益事業の所得の金額が400万円以下の場合，200万円までが寄付金として損金算入されることになる。

この点につき，地方税の均等割免除要件との関係に次のような注意が必要である。前述のとおり，地方税の均等割は，収益事業で生じた所得の100分の90以上の金額を社会福祉事業に充てることで免除される。収益事業の所得金額が222万円を超える場合，100分の90以上の金額を社会福祉事業に充てると，均等割は免除されるが，法人税額の計算上損金不算入になる金額が生じてくる（200万円 ÷90/100 ≒ 222万円）。このため，所得金額の100分の90以上の金額を社会福祉事業に充てて均等割免除を選択するか，法人税法上の損金算入限度額までの充当にとどめるかの判断を行う必要がある。

一般的には収益事業の所得金額が大きくなるほどみなし寄附金損金算入金額が大きくなるため，所得金額の50%を社会福祉事業に充てる方が税務上のメリットが大きくなる。均等割の免除を選択する方が有利になる場合は限定的と考えられる。

社会福祉法人については，租税特別措置法上の優遇規定も設けられている。例えば，同法40条の取扱いなどがあげられる。

個人が法人に対し，所有する土地等の資産を寄附（贈与）した場合，寄附者がその土地等の資産を法人に対して寄附時の時価で譲渡したものとみなされ（所法59条第1項），その資産の時価と取得価額との差額（譲渡益部分）に対し，所得税が課税されることになる。この規定を公益法人等に対する寄附行為に当てはめると，健全な公益の増進に寄与するための行為に対しても，所得税が課されることになり，社会福祉の充実を妨げる結果となってしまう。

そこで，一定の要件を満たす寄附行為に対しては，承認申請書を提出することで，租税特別措置法40条の規定により，国税庁長官の承認を受けた時は非課税とする旨が規定されている。

2. 租税特別措置法の取扱い

⑴ 提出者

公益法人等に対して資産の寄附をした人（遺贈による寄附や，寄附者が承認申請書提出前に死亡している場合は，相続人および包括受遺者）

⑵ 提出先および提出期限

寄附者の所轄税務署に，寄附をした日から4ヵ月以内または寄附をした年分の確定申告書提出期限のいずれか早い日

⑶ 対象法人（公益法人等）

■公益社団法人

■公益財団法人

■特定一般法人

■その他の公益を目的として事業を行う法人（社会福祉法人，学校法人，宗教法人等）

⑷　寄附の定義

既設の公益法人等に対する寄附の他，公益法人等を新設するための寄附をいう。

⑸　承認要件

租税特別措置法40条の適用を受けるための寄附は，単なる寄附でなく，以下の要件を満たすような目的，効果があるものに限定されている。すなわち，公共の福祉に貢献する事，特定の人物の利益になるようなものでないことがあげられる（租令25条の17第5項1～3号）。

- ■寄附が教育または科学の振興，文化の向上，社会福祉への貢献その他公益の増進に著しく寄与すること
- ■寄附財産が，その寄附日から2年以内に寄附を受けた法人の公益を目的とする事業の用に直接供されること（宥恕〔ゆうじょ〕規定あり。なお，宥恕規定とは税法上の特例を受ける条件がある場合に添付書類や届出書等がない場合，税務署がやむを得ない事情があると認めるときは，後日提出してもその規定の適用を認める規定である）
- ■寄附により寄附した人の所得税の負担を不当に減少させ，または寄附した人の親族その他これらの人と特別の関係がある人の相続税や贈与税の負担を不当に減少させる結果とならないこと

⑹　税負担を不当に減少させる結果とならないとする判定基準

- ■公益法人等の運営組織が適正であるとともに，その寄附行為，定款または規則において，理事，監事および評議員のいずれにおいても，そのうちに親族関係がある人およびこれらの人と次の①～③の関係がある人の数の占める割合が，3分の1以下とする旨の定めがあること（租令25条の17第6項1～5号）

①　まだ婚姻の届出をしていないが事実上婚姻関係と同様の事情にある人（この人の親族で，生計を一にしている人を含む）

②　使用人および使用人以外の人でその人から受ける金銭その他の財産に

よって生計を維持している人（この人の親族で，生計を一にしている人を含む）

③　次の法人の役員または使用人

1）親族関係がある人が会社役員となっている他の法人

2）親族関係がある人および①と②に掲げる人ならびにこれらの人と一定の関係がある法人を判定の基礎にした場合に法人税法上の同族会社に該当する他の法人

■寄附した人，寄附を受けた法人の理事，監事および評議員もしくは社員またはこれらの人と特殊の関係がある人に対し，施設の利用，金銭の貸付，資産の譲渡，給与の支給，役員等の選任その他財産の運用および事業の運営に関して特別の利益を与えないこと

■法人の寄附行為，定款または規則において，その法人が解散した場合の残余財産が国もしくは地方公共団体または他の公益法人等に帰属する旨の定めがあること

■寄附を受けた法人につき公益に反する事実がないこと

■法人が寄附により株式の譲渡をした場合には，当該取得により当該法人の有することとなる当該株式の発行法人の株式がその発行済み株式の総数の２分の１を超えることとならないこと（法人が寄附により株式を取得した場合に限る）

⑺　留意事項

国税庁長官は，寄附後に承認要件に該当しなくなった場合には，非課税承認をいつでも取り消すことができるため，非課税承認が受けられなくなる用途への変更はできない。

20 消費税

1. 納税義務

法人の消費税の納税義務については，一般的に次の方法で判定されることとなっている。

(1) その会計年度の基準期間がない場合

各会計年度開始の日における資本金の額または出資の金額が1,000万円以上であるかどうか

(2) その会計年度の基準期間がある場合

① その会計年度の基準期間における課税売上高が1,000万円を超えるかどうか

② ①が1,000万円以下である場合において，その会計年度の直前会計年度開始の日以後6ヵ月の期間（特定期間）の売上または給与支払額が1,000万円を超えるかどうか

ただし，社会福祉法人については，(1)の判定からは除外されている（消法12条の2第1項）ため，上記(2)のみで消費税の納税義務の有無を判定することとなる。

2. 課税されるケース

1.のとおり，社会福祉法人は資本金の額または出資の金額での納税義務の判定は行わないこととされているため，基準期間における課税売上高で判定することとなる。

社会福祉法人については，一会計年度中に課税売上高が1,000万円を超えれば，その会計年度が基準年度となる会計年度において消費税の申告義務が生じることとなるが，社会福祉法人が収益事業を営もうとする場合，その社会福祉法人が駐車場収入，所有する事業用物件の家賃収入，設置し

ている診療所での自由診療，その他物販などの専門部署を設置し，反復継続して事業として運営していくような規模である必要がある。

以上を踏まえると，社会福祉法人の本業である社会福祉事業の正常な運営を妨げない範囲で，社会福祉法人としてふさわしい内容の事業で，なおかつ反復継続して行われるものであることという制限が課されるため，社会福祉法人が消費税の課税事業者に該当するケースは，大規模な駐車場賃貸業を行っているケースや，所有物件での賃借料収入が多額に上るケースなど，限られてくるものと考えられる。

3. 仕入税額控除

社会福祉法人に消費税の納税義務がある場合，仕入税額控除については，基本的な計算は他の一般課税事業者と同様である。ただし，国等から補助金等の収入や，寄付金収入などがある場合，申告消費税額の計算について国等の特例が適用されることがあり得る。

また，基準期間における課税売上高が5,000万円以下の場合，届出を行うことにより，簡易課税の選択適用を行うことができる。

4. 国等の特例

国もしくは地方公共団体（特別会計を設けて事業を行う場合に限る），消費税法別表第3に掲げる法人または人格のない社団等が課税仕入を行って，その課税仕入れを行った課税期間に，以下の適用要件を満たす場合は，仕入税額の計算の際，特例の適用がある（消法60条第4項）。社会福祉法人は消費税法別表第3に列挙されており，消費税の課税事業者に該当する社会福祉法人で適用要件に該当する場合は，申告の際に注意が必要である。

(1) 適用要件

① 特定収入があること

② 簡易課税制度の規定の適用を受けていないこと

③ その法人の資産の譲渡等の対価の額と特定収入の合計額のうちにその特定収入が占める割合が5%を超えること

⑵ 特定収入の意義（消法60条第4項，消令75条第1項，消費税基本通達16-2-1）

資産の譲渡等の対価以外の収入（対価性のない収入）で次のようなもの以外の収入をいう。

① 借入金および債券の発行に係る収入で，法令によりその返済または償還のため補助金，負担金等の交付を受けることが規定されているもの以外のもの

② 出資金

③ 預金，貯金および預り金

④ 貸付回収金

⑤ 返還金および還付金

⑥ 次に掲げる収入

1）法令または交付要綱等において，特定支出のためにのみ使用することとされている収入（人件費補助金，利子補給金，土地購入のための補助金等）

2）国等が合理的な方法により資産の譲渡等の対価以外の収入の使途を明らかにした文書において，特定支出（課税仕入れ，課税貨物，通常の借入金等の返還・償還金以外の支出，人件費，利子，土地購入の支出等）のためにのみ使用することとされている収入

具体的には，租税，補助金，交付金，寄附金，出資に係る配当金，保険金，損害賠償金，資産の譲渡等の対価にあたらない負担金，会費等，喜捨金（お布施，戒名料，玉串料等）等が特定収入に該当する。

⑶ 計算方法

原則の方法により計算した課税仕入れに係る消費税額から特定収入に係

る課税仕入等の税額を控除した金額が，その会計期間の課税仕入れに係る消費税額となる。

5. 簡易課税制度の適用

社会福祉法人が簡易課税制度の適用を受ける場合，社会福祉法人が行う事業の事業区分は原則として第五種事業に該当する〔「(別表) 日本標準産業分類の分類項目と類似業種比準価額計算上の業種目との対比表（平成27年分)」大分類−P医療・福祉〕。

6. 社会福祉法における消費税のポイント

以上のように複雑な計算が必要となるが，ポイントは以下の6つに整理される。

① 消費税の納税義務者であるか否かの判断
② 消費税の課税対象となる取引か否かの判断
③ 消費税の非課税対象となる取引か否かの判断
④ 仕入税額控除は原則課税か簡易課税かの選択の判断
⑤ 申告納税手続き
⑥ 各種の届出

21 その他税制上の優遇措置

1. 印紙税

社会福祉法人が発行する領収書については，金額にかかわらず，非課税とされている（印紙税基本通達別表第1　17号文書22）。

また，社会福祉法人が利用者との間で締結する契約書についても，原則として非課税とされている〔介護サービス事業者等と利用者の間で作成する契約書及び介護サービス事業者等が発行する領収証に係る印紙税の取扱いについて〕。

2. 登録免許税

社会福祉法人が，自己の運営する社会福祉事業や，学校の土地建物，校舎等，運動場，実習用地等の取得登記を行う場合には，非課税とされている（登録免許税法4条第2項）。

3. 固定資産税・都市計画税

社会福祉法人が以下の事業の用に供する固定資産のうち，自己所有のものと，借り受けて使用するもののうち無償であるものについては，非課税とされている（地法348条第2項10号から10号の6）。

ただし，以下の事業の用に供する固定資産であっても，社会福祉法人の認可を受ける前の段階においては，事業の用に供してから認可を受けるまでの期間に応じて課税されることに留意すべきである。

① 生活保護法38条第1項に規定する保護施設の用に供する固定資産のうち一定のもの

② 児童福祉法7条第1項に規定する児童福祉施設の用に供する固定資産のうち一定のもの

③ 老人福祉法5条の3に規定する老人福祉施設の用に供する固定資産の

うち一定のもの

④　障害者の日常生活および社会生活を総合的に支援するための法律5条第11項に規定する障害者支援施設の用に供する固定資産

⑤　介護保険法115条の46第1項に規定する包括的支援事業の用に供する固定資産

⑥　上記①から⑤の固定資産のほか，社会福祉法2条第1項に規定する社会福祉事業等の用に供する固定資産のうち一定のもの

4. 不動産取得税

社会福祉法人が，以下の事業の用に供するため，固定資産を取得した場合は，非課税とされている（地法73条の4第1項4号から4号の9）。

但し，固定資産税・都市計画税と同様，社会福祉法人の認可を受ける前に取得した不動産については，課税されることに留意すべきである。

①　生活保護法38条第1項に規定する保護施設の用に供する不動産のうち一定のもの

②　児童福祉法7条第1項に規定する児童福祉施設の用に供する不動産のうち一定のもの

③　老人福祉法5条の3に規定する老人福祉施設の用に供する不動産のうち一定のもの

④　障害者の日常生活および社会生活を総合的に支援するための法律5条第11項に規定する障害者支援施設の用に供する不動産

⑤　上記①から④の不動産のほか，社会福祉法2条第1項に規定する社会福祉事業等の用に供する不動産のうち一定のもの

⑥　介護保険法115条の46第1項に規定する包括的支援事業の用に供する不動産

【参考：財務諸表】（会計基準の条項による）

第１号１様式（17条第４項関係）

法人単位資金収支計算書

（自）平成　年　月　日　（至）平成　年　月　日

（単位：円）

勘定科目			予算(A)	決算(B)	差異(A)-(B)	備考
事業活動による収支	収入	介護保険事業収入				
		老人福祉事業収入				
		児童福祉事業収入				
		保育事業収入				
		就労支援事業収入				
		障害福祉サービス等事業収入				
		生活保護事業収入				
		医療事業収入				
		(何)事業収入				
		(何)収入				
		借入金利息補助金収入				
		経常経費寄附金収入				
		受取利息配当金収入				
		その他の収入				
		流動資産評価益等による資金増加額				
		事業活動収入計(１)				
	支出	人件費支出				
		事業費支出				
		事務費支出				
		就労支援事業支出				
		授産事業支出				
		(何)支出				
		利用者負担軽減額				
		支払利息支出				
		その他の支出				
		流動資産評価損等による資金減少額				
		事業活動支出計(２)				
	事業活動資金収支差額(３)=(１)－(２)					
施設整備等による収支	収入	施設整備等補助金収入				
		施設整備等寄附金収入				
		設備資金借入金収入				
		固定資産売却収入				
		その他の施設整備等による収入				
		施設整備等収入計(４)				
	支出	設備資金借入金元金償還支出				
		固定資産取得支出				
		固定資産除却・廃棄支出				
		ファイナンス・リース債務の返済支出				
		その他の施設整備等による支出				
		施設整備等支出計(５)				
	施設整備等資金収支差額(６)=(４)－(５)					
その他の活動による収支	収入	長期運営資金借入金元金償還寄附金収入				
		長期運営資金借入金収入				
		長期貸付金回収収入				
		投資有価証券売却収入				
		積立資産取崩収入				
		その他の活動による収入				
		その他の活動収入計(７)				
	支出	長期運営資金借入金元金償還支出				
		長期貸付金支出				
		投資有価証券取得支出				
		積立資産支出				
		その他の活動による支出				
		その他の活動支出計(８)				
	その他の活動資金収支差額(９)=(７)－(８)					
予備費支出(10)			××× △×××	—	×××	
当期資金収支差額合計(11)=(３)+(６)+(９)－(10)						

前期末支払資金残高(12)				
当期末支払資金残高(11)＋(12)				

（注）予備費支出△×××円は○○支出に充当使用した額である。

第２号１様式（23条第４項関係）

法人単位事業活動計算書

（自）平成　年　月　日　（至）平成　年　月　日

（単位：円）

部	区分	勘定科目	当年度決算(A)	前年度決算(B)	増減(A)-(B)
サービス活動増減の部	収益	介護保険事業収益			
		老人福祉事業収益			
		児童福祉事業収益			
		保育事業収益			
		就労支援事業収益			
		障害福祉サービス等事業収益			
		生活保護事業収益			
		医療事業収益			
		(何)事業収益			
		(何)収益			
		経常経費寄附金収益			
		その他の収益			
		サービス活動収益計(1)			
	費用	人件費			
		事業費			
		事務費			
		就労支援事業費用			
		授産事業費用			
		(何)費用			
		利用者負担軽減額			
		減価償却費			
		国庫補助金等特別積立金取崩額	△×××	△×××	
		徴収不能額			
		徴収不能引当金繰入			
		その他の費用			
		サービス活動費用計（2）			
	サービス活動増減差額（3）=（1）－（2）				
サービス活動外増減の部	収益	借入金利息補助金収益			
		受取利息配当金収益			
		有価証券評価益			
		有価証券売却益			
		投資有価証券評価益			
		投資有価証券売却益			
		その他のサービス活動外収益			
		サービス活動外収益計(4)			
	費用	支払利息			
		有価証券評価損			
		有価証券売却損			
		投資有価証券評価損			
		投資有価証券売却損			
		その他のサービス活動外費用			
		サービス活動外費用計(5)			
	サービス活動外増減差額(6)＝(4)－（5）				
経常増減差額(7)=(3)＋(6)					
特別増減の部	収益	施設整備等補助金収益			
		施設整備等寄附金収益			
		長期運営資金借入金元金償還寄附金収益			
		固定資産受贈額			
		固定資産売却益			
		その他の特別収益			
		特別収益計(8)			
	費用	基本金組入額			
		資産評価損			
		固定資産売却損・処分損			
		国庫補助金等特別積立金取崩額（除却等）	△×××	△×××	
		国庫補助金等特別積立金積立額			
		災害損失			
		その他の特別損失			
		特別費用計(9)			
	特別増減差額(10)=(8)-(9)				
当期活動増減差額(11)=(7)+(10)					
繰越活動増減差額の部	前期繰越活動増減差額(12)				
	当期末繰越活動増減差額(13)=(11)+(12)				
	基本金取崩額(14)				
	その他の積立金取崩額(15)				
	その他の積立金積立額(16)				
	次期繰越活動増減差額(17)=(13)+(14)+(15)-(16)				

第3号1様式（27条第4項関係）

法人単位貸借対照表

平成　年　月　日現在

（単位：円）

資産の部				負債の部			
	当年度末	前年度末	増減		当年度末	前年度末	増減
流動資産				流動負債			
現金預金				短期運営資金借入金			
有価証券				事業未払金			
事業未収金				その他の未払金			
未収金				支払手形			
未収補助金				役員等短期借入金			
未収収益				1年以内返済予定設備資金借入金			
受取手形				1年以内返済予定長期運営資金借入金			
貯蔵品				1年以内返済予定リース債務			
医薬品				1年以内返済予定役員等長期借入金			
診療・療養費等材料				1年以内支払予定長期未払金			
給食用材料				未払費用			
商品・製品				預り金			
仕掛品				職員預り金			
原材料				前受金			
立替金				前受収益			
前払金				仮受金			
前払費用				賞与引当金			
1年以内回収予定長期貸付金				その他の流動負債			
短期貸付金							
仮払金							
その他の流動資産							
徴収不能引当金							
固定資産				固定負債			
基本財産				設備資金借入金			
土地				長期運営資金借入金			
建物				リース債務			
定期預金				役員等長期借入金			
投資有価証券				退職給付引当金			
その他の固定資産							
土地				長期未払金			
建物				長期預り金			
構築物				その他の固定負債			
機械及び装置				負債の部合計			
車輌運搬具				純資産の部			
器具及び備品				基本金			
建設仮勘定				国庫補助金等特別積立金			
有形リース資産				その他の積立金			
権利				○○積立金			
ソフトウェア				次期繰越活動増減差額			
無形リース資産				（うち当期活動増減差額）			
投資有価証券							
長期貸付金							
退職給付引当資産							
長期預り金積立資産							
○○積立資産							
差入保証金							
長期前払費用							
その他の固定資産				純資産の部合計			
資産の部合計				負債及び純資産の部合計			

第1号2様式（17条第4項関係）

資金収支内訳表

（自）平成　年　月　日　（至）平成　年　月　日

（単位：円）

区分		勘定科目	社会福祉事業	公益事業	収益事業	合計	内部取引消去	法人合計
事業活動による収支	収入	介護保険事業収入						
		老人福祉事業収入						
		児童福祉事業収入						
		保育事業収入						
		就労支援事業収入						
		障害福祉サービス等事業収入						
		生活保護事業収入						
		医療事業収入						
		(何)事業収入						
		(何)収入						
		借入金利息補助金収入						
		経常経費寄附金収入						
		受取利息配当金収入						
		その他の収入						
		流動資産評価益等による資金増加額						
		事業活動収入計(1)						
	支出	人件費支出						
		事業費支出						
		事務費支出						
		就労支援事業支出						
		授産事業支出						
		(何)支出						
		利用者負担軽減額						
		支払利息支出						
		その他の支出						
		流動資産評価損等による資金減少額						
		事業活動支出計(2)						
	事業活動資金収支差額(3)=(1)−(2)							
施設整備等による収支	収入	施設整備等補助金収入						
		施設整備等寄附金収入						
		設備資金借入金収入						
		固定資産売却収入						
		その他の施設整備等による収入						
		施設整備等収入計(4)						
	支出	設備資金借入金元金償還支出						
		固定資産取得支出						
		固定資産除却・廃棄支出						
		ファイナンス・リース債務の返済支出						
		その他の施設整備等による支出						
		施設整備等支出計(5)						
	施設整備等資金収支差額(6)=(4)−(5)							
その他の活動による収支	収入	長期運営資金借入金元金償還寄附金収入						
		長期運営資金借入金収入						
		長期貸付金回収収入						
		投資有価証券売却収入						
		積立資産取崩収入						
		事業区分間長期借入金収入						
		事業区分間長期貸付金回収収入						
		事業区分間繰入金収入						
		その他の活動による収入						
		その他の活動収入計(7)						
	支出	長期運営資金借入金元金償還支出						
		長期貸付金支出						
		投資有価証券取得支出						
		積立資産支出						
		事業区分間長期貸付金支出						
		事業区分間長期借入金返済支出						
		事業区分間繰入金支出						
		その他の活動による支出						
		その他の活動支出計(8)						
	その他の活動資金収支差額(9)=(7)−(8)							
当期資金収支差額合計(10)=(3)+(6)+(9)−(10)								

前期末支払資金残高(11)						
当期末支払資金残高(10)＋(11)						

第２号３様式（23条第４項関係）

（何）事業区分　事業活動内訳表

（自）平成　年　月　日　（至）平成　年　月　日

（単位：円）

部	区分	勘定科目	○○拠点	△△拠点	××拠点	合計	内部取引消去	事業区分合計
サービス活動増減の部	収益	介護保険事業収益						
		老人福祉事業収益						
		児童福祉事業収益						
		保育事業収益						
		就労支援事業収益						
		障害福祉サービス等事業収益						
		生活保護事業収益						
		医療事業収益						
		（何）事業収益						
		（何）収益						
		経常経費寄附金収益						
		その他の収益						
		サービス活動収益計（1）						
	費用	人件費						
		事業費						
		事務費						
		就労支援事業費用						
		授産事業費用						
		（何）費用						
		利用者負担軽減額						
		減価償却費						
		国庫補助金等特別積立金取崩額	△×××	△×××	△×××	△×××		△×××
		徴収不能額						
		徴収不能引当金繰入						
		その他の費用						
		サービス活動費用計（2）						
	サービス活動増減差額（3）=（1）-（2）							
サービス活動外増減の部	収益	借入金利息補助金収益						
		受取利息配当金収益						
		有価証券評価益						
		有価証券売却益						
		投資有価証券評価益						
		投資有価証券売却益						
		その他のサービス活動外収益						
		サービス活動外収益計（4）						
	費用	支払利息						
		有価証券評価損						
		有価証券売却損						
		投資有価証券評価損						
		投資有価証券売却損						
		その他のサービス活動外費用						
		サービス活動外費用計（5）						
	サービス活動外増減差額（6）=（4）－（5）							
経常増減差額（7）=（3）＋（6）								
特別増減の部	収益	施設整備等補助金収益						
		施設整備等寄附金収益						
		長期運営資金借入金元金償還寄附金収益						
		固定資産受贈額						
		固定資産売却益						
		事業区分間繰入金収益						
		拠点区分間繰入金収益						
		事業区分間固定資産移管収益						
		拠点区分間固定資産移管収益						
		その他の特別収益						
		特別収益計（8）						
	費用	基本金組入額						
		資産評価損						
		固定資産売却損・処分損						
		国庫補助金等特別積立金取崩額（除却等）	△×××	△×××	△×××	△×××		△×××
		国庫補助金等特別積立金積立額						
		災害損失						
		事業区分間繰入金費用						
		拠点区分間繰入金費用						
		事業区分間固定資産移管費用						
		拠点区分間固定資産移管費用						
		その他の特別損失						
		特別費用計（9）						
	特別増減差額（10）=（8）－（9）							
当期活動増減差額（11）=（7）+（10）								
繰越活動増減差額の部	前期繰越活動増減差額（12）							
	当期末繰越活動増減差額（13）=（11）+（12）							
	基本金取崩額（14）							
	その他の積立金取崩額（15）							
	その他の積立金積立額（16）							
	次期繰越活動増減差額（17）=（13）+（14）+（15）-（16）							

第3号4様式（27条第4項関係）

（何）拠点区分　貸借対照表

平成　年　月　日現在

（単位：円）

資産の部	当年度末	前年度末	増減	負債の部	当年度末	前年度末	増減
流動資産				流動負債			
現金預金				短期運営資金借入金			
有価証券				事業未払金			
事業未収金				その他の未払金			
未収金				支払手形			
未収補助金				役員等短期借入金			
未収収益				1年以内返済予定設備資金借入金			
受取手形				1年以内返済予定長期運営資金借入金			
貯蔵品				1年以内返済予定リース債務			
医薬品				1年以内返済予定役員等長期借入金			
診療・療養費等材料				1年以内返済予定事業区分間長期借入金			
給食用材料				1年以内返済予定拠点区分間長期借入金			
商品・製品				1年以内支払予定長期未払金			
仕掛品				未払費用			
原材料				預り金			
立替金				職員預り金			
前払金				前受金			
前払費用				前受収益			
1年以内回収予定長期貸付金				事業区分間借入金			
1年以内回収予定事業区分間長期貸付金				拠点区分間借入金			
1年以内回収予定拠点区分間長期貸付金				仮受金			
短期貸付金				賞与引当金			
事業区分間貸付金				その他の流動負債			
拠点区分間貸付金							
仮払金							
その他の流動資産							
徴収不能引当金							
固定資産				固定負債			
基本財産				設備資金借入金			
土地				長期運営資金借入金			
建物				リース債務			
定期預金				役員等長期借入金			
投資有価証券				事業区分間長期借入金			
その他の固定資産				拠点区分間長期借入金			
土地				退職給付引当金			
建物				長期未払金			
構築物				長期預り金			
機械及び装置				その他の固定負債			
車輌運搬具							
器具及び備品							
建設仮勘定				負債の部合計			
有形リース資産				純資産の部			
権利				基本金			
ソフトウェア				国庫補助金等特別積立金			
無形リース資産				その他の積立金			
投資有価証券				（何）積立金			
長期貸付金				次期繰越活動増減差額			
事業区分間長期貸付金				（うち当期活動増減差額）			
拠点区分間長期貸付金							
退職給付引当資産							
長期預り金積立資産							
（何）積立資産							
差入保証金							
長期前払費用							
その他の固定資産							
				純資産の部合計			
資産の部合計				負債及び純資産の部合計			

第２章

要約

第２章では，社会福祉法人にまつわる会計，税務の種々の規定や優遇措置，それに対する対応について整理した。

会計・税務に関するルールの理解が不十分なまま運用することは，社会福祉法人にとって大きなリスクを背負うことになる。そのような事態を避けるため，社会福祉法人の円滑な運営に必要な会計・税務に関する基本的な事項を記載した。さらに社会福祉充実残額の算定から社会福祉充実計画の策定への流れを示した。

次章以下では，会計・税務に関する処理が適正に行われているかの監査・監督に関する事項を経て，社会福祉法人の運営状況等に関する分析・評価へと進むことにより，社会福祉法人への理解がすすむことになる。

第3章 社会福祉法人の内部統制と監査

概要

第３章では社会福祉法人を運営する上で重要な役割を担っている内部統制と監査について解説する。

社会福祉法人の内部統制の中心となる計数管理は拠点別の資金収支を基とした予算管理であるが，会計・決算は「財務３表」と呼ばれる資金収支計算書，事業活動計算書，貸借対照表を作成する複式簿記によっている。拠点区分別は組織的にみると計数管理の基礎となる業務執行管理の単位（会計単位）で施設（場所）をもとにし，その責任者は施設長と呼ばれ，その人事は理事会での承認を必要とする。１つの拠点区分で複数のサービス内容を提供する場合には拠点区分をさらに提供するサービスごとに区分した「サービス区分」が最小の管理の単位となる。なお社会福祉法人が社会福祉事業以外の公益事業や収益事業を営む場合には，同じ施設に立地していても，別の拠点区分とすることとなっている。内部統制と決算は監事監査，指導監査（所轄庁が実施），法人内で実施する内部監査および公認会計士等が実施する外部監査の対象となる。

なお，現行法において一定規模の特定社会福祉法人については，会計監査人による監査が強制されている。

1 社会福祉法人のあるべき組織と内部統制

1. 組織

社会福祉法人の経営組織は現行法では下の図のようになっている。従来の組織より，意思決定の明確化，相互牽制の強化，モニタリングとしての監査の強化などガバナンスが強化された形となっている。

■ 社会福祉法人の経営組織 ■

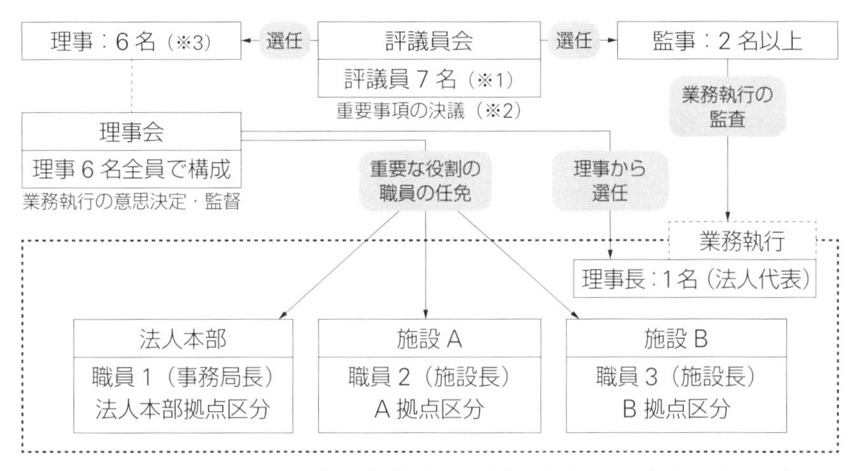

＊　この図には含めていないが一定規模以上の法人は監事監査に加えて会計監査人が必置となっている。

※1　評議員は定款の定めにより選任される。必要人数は理事の数を超える数である（法40条第3項）。

※2　評議員会の決議事項は定款の変更，理事・監事・会計監査人の選解任および理事・監事の報酬の決定などである（法45条の36第1項，法43条第1項，法45条の4第1項・第2項，法45条の35第2項）。

※3　理事の必要人数は6名以上である。なお一部の理事は理事会の決議により業務執行をする（法44条第3項）。

また各種監査の前提となる内部統制は現行法では内部管理体制とされ，その基本方針を策定し整備することは理事会の職務とされている（法45条の13第4項5号）。なお一定規模を超える法人に対しては「決定しなければならない」規定となっている（法45条の13第5項）。

内部管理体制の内容は，法に規定されている理事の職務の執行が法令および定款に適合することを確保するための体制のほか以下の項目である（施規2条の16）。

① 理事の職務の執行に係る情報の保存および管理に関する体制
② 損失の危険の管理に関する規程その他の体制
③ 理事の職務の執行が効率的に行われることを確保するための体制
④ 職員の職務の執行が法令および定款に適合することを確保するための体制
⑤ 監事がその職務を補助すべき職員を置くことを求めた場合における当該職員に関する事項
⑥ ⑤の職員の理事からの独立性に関する事項
⑦ 監事の⑤の職員に対する指示の実効性の確保に関する事項
⑧ 理事および職員が監事に報告をするための体制その他の監事への報告に関する体制
⑨ ⑧の監事への報告をした者が当該報告をしたことを理由として不利な取扱いを受けないことを確保するための体制
⑩ 監事の職務の執行について生ずる費用の前払または償還の手続その他の当該職務の執行について生ずる費用または債務の処理に係る方針に関する事項
⑪ その他監事の監査が実効的に行われることを確保するための体制

2. 内部統制

社会福祉法人の内部統制について，金融庁企業会計審議会から企業向けに公表されている「財務報告に係る内部統制の評価及び監査の基準」における内部統制の定義を参考に説明する。

内部統制とは組織において，業務が適正かつ効率的に遂行され，財務報告等の外部報告が適正になされ，業務に係る法令等が遵守され，資産が保全（取得，使用および処分を含む）されることの4つの目的が達成されるために計画，導入，運用される仕組みである。

そして，その目的の達成には次の6つの基本的要素が必要とされる。

■ 内部統制の基本的要素 ■

基本的要素	例
①統制環境	法人の運営方針の明確化，役員や職員の誠実性や倫理観の保持，法令に従った組織構造と運営の整備，職務権限規程の制定，職員の育成方針など
②リスクの評価と対応	例えば法令の改正に対する対応の遅れをリスクとして認識し組織全体での対応，業務上発生する事故やクレームの予測と対応策の策定，火災や自然災害発生リスクの把握と避難対策等の策定と訓練など
③統制活動	職務分掌・職務権限規程に基づく取引の事前承認と事後報告，相互牽制制度の運用，購買における入札の実施，見積書の入手，契約書の締結など
④情報と伝達	情報システムを含む，組織内の情報の把握と適切な伝達，必要な会議の開催と議事録の作成保存，外部への適時・適切な財務情報等の公表など
⑤モニタリング	日常的に行われる業務管理による内部統制の運用状況の確認，独立した内部監査部門や監事よる監視活動など
⑥ITへの対応	ITの現状の利用状況の把握，インターネット利用に伴うセキュリティ対策の確立，情報漏洩防止策の策定と運用など

なお内部統制は，共謀，想定外の取引，理事長などの内部統制の無視などにより機能しなくなる限界があることを常に認識しておくことが必要である。

実際の業務執行および管理は「ひと」の面からは拠点区分別，提供するサービス内容からは法令上の必要に応じてサービス区分別に予算管理を中心として行うが「ひと」中心の管理が主となっている。関連図に示すように，拠点区分（会計区分）数が施設数より多くなる場合，人事が理事会で決定される事業責任者である施設長は複数の拠点区分の責任者を兼務する場合が発生する。その場合でも，拠点区分ごとの管理運営責任および会計数値の説明責任を負うこととなる。特に費用を兼務している拠点別に配分

■ 会計区分と場所・人の関連図 ■

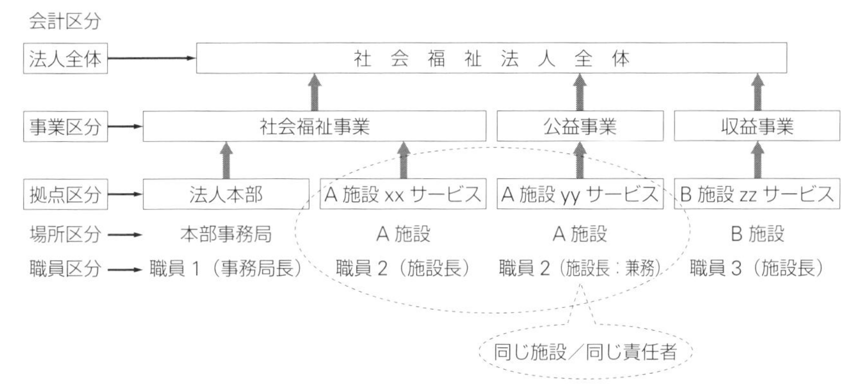

1 拠点区分 1 サービスの場合（拠点別に仕訳し財務 3 表を作成する）
（1 拠点区分で複数サービスを提供ならサービス区分も必要）

する場合に公平な態度が必要である。

拠点区分（中区分）別に集計された資金収支計算書，事業活動計算書，および貸借対照表の3つの財務諸表（以下「財務3表」という）は施設長が担当する拠点区分を管理する資料となる。法人全体の「財務3表」は理事長が法人全体を管理する金額的基礎となる。これらの「財務3表」に必要な内訳書等を加えた資料を決算書として定期的に（例えば毎月）理事会に報告する仕組が必要である。実際の運用は予算と実績の対比もしくは前年度との比較として作成され分析・報告が行われる。

所轄庁が管理するために「財務3表」を含む計算書類および事業報告ならびにこれらの附属明細書を財産目録ともに所轄庁へ提出する（法59条）。これらの書類は法人内の各事務所に備えおき利害関係者の閲覧に供することになっており，これら計算書類等には監事の監査報告も含まれている（法45条の32・34）。所轄庁では所管法人の情報をインターネット上に開示している。なお各法人独自のホームページで公表されている場合はその旨開示されている。これらの情報公開の仕組みは法人が健全に運用されていることを情報として発信し信頼を得る重要な仕組みである。

2 内部統制の設計と業務への適用

社会福祉法人は現行法が想定する組織をベースに内部統制を設計し導入・運用していると想定される。ところで業務の拡大により株式会社等の参入が許されている契約型の業務も増加しているため，競争に耐えるには，株式会社形態で契約型のサービス提供を行っている上場会社の内部統制のあり方を参考に，それを凌ぐ効率性と安全性を備えた内部統制の確立が望まれる。

社会福祉法人が主に提供している措置事業（サービス）に関しては，所轄庁が定めた所定のサービスを指示どおりの水準および内容で提供し利用料（売上相当）を受け取るが，それだけでは採算が合わないため，不足額は補助金で受け取る。その結果，

利用料 ＋ 補助金 ≧ サービス提供コスト

となって運営が成り立っている。社会福祉法人は，利用料に加えて補助金の獲得に努力し，その使途の透明性の確保に努める必要がある。

他方，純資産については社会福祉法人には出資者持分の概念がなくまた利益の配当の仕組みもないため純資産は将来に向けての事業継続および発展の基盤である。なお，純資産に含まれる社会福祉充実計画（残高）の計算とその計画策定の体制整備も必要である。また資産・負債の内部統制は上場会社と同様のレベルを維持する必要がある。

1. 内部統制の設計

社会福祉法人モデル経理規定で想定している相互牽制組織は**1**で述べた組織を前提に理事長，理事の下に統括会計責任者（事務局長），会計責任者，出納職員を置き実際の事業の執行と業務管理は施設を単位として施設長が担うことが想定されている。この場合の会計処理は原則として施設を

単位とする拠点区分別に行い，予算管理・決算処理も拠点区分を最小単位として進められる。拠点区分の下に複数のサービス区分がある場合の仕訳と会計区分の関係は次のとおりである。

■ 会計区分と仕訳（拠点区分別で仕訳する場合）■

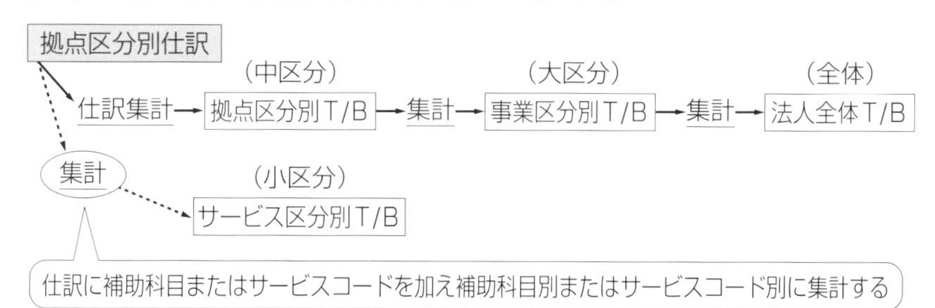

拠点区分別・事業区分別および法人全体の「財務３表」はT/B（試算表）から作成するが，サービス区分別については拠点区分ごとに作成する附属明細書すなわち拠点区分資金収支明細表と拠点区分事業活動明細書を作成する。

代替的な会計処理としては予算管理をサービス区分単位とすることが認められているので，サービス区分別に予算管理をする場合の仕訳と会計区分の関係は次のとおりである。

■ 会計区分と仕訳（サービス区分別で仕訳する場合）■

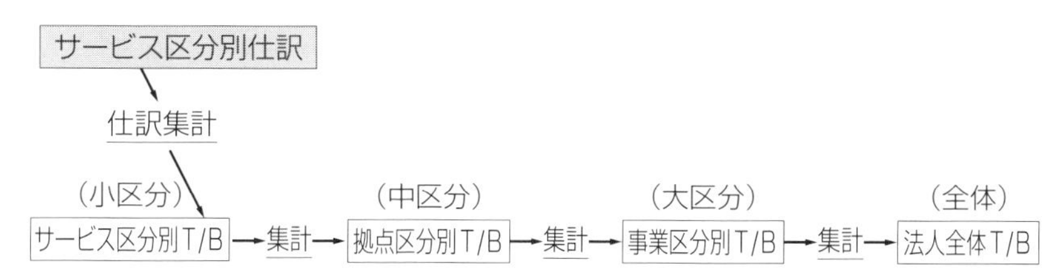

モデル経理規定で想定されている会計制度は伝票式会計である。出納業務を例にすると伝票式会計は取引に伴い資金が増減した場合に会計伝票を起票し，検印，承認を得た上で実際に資金の入金・出金を行い会計伝票から会計帳簿に記帳（転記）する。この場合「誰が」，「いつ」，「どのように」

すべきかをあらかじめ経理規定で定めておき，実際にその手続を遵守していることを伝票上に証拠としての残せるように制度設計することが必要である。

会計処理を手書の帳簿でするか会計ソフトを利用するかは任意である。

社会福祉法人専用の会計ソフトを利用する場合には勘定科目マスター，部門コードマスター（サービス区分・拠点区分・事業区分のコードとその関係を示すコード体系）の適切な設定と更新管理（マスター・メンテナンス）を行うことで開示用の財務諸表が作成できることが期待される。

手書の帳簿で処理する場合でも，報告すべき財務諸表および附属明細書の一部が内訳書形式または明細書形式でサービス区分別・拠点区分別・事業区分別・全体の4層の集計過程を多欄式の集計様式で示す形式になっており表計算ソフトの利用は大変便利であるが，利用する場合には，確立した会計ソフトに比べて安定性が低いことが指摘されているため正確性の検証は重要となる。例えば行の合計と列の合計が表の右下の欄で一致しているか最終行・列の欄の下か右に欄を設けて検算させるのも一法である。

なお，会計伝票に記入すべき項目は日付，勘定科目，部門，取引内容（取引先，取引品目，数量等）であり，会計システムで転記・集計をできることが必要である。証憑書類と照合できる番号の記載も必要である。

2. 業務への適用

以上を考慮して設計した内部統制の仕組みを業務に適用した場合，その仕組みを説明する書類を作成し，実際に運用しながら加筆してマニュアル化することが望まれる。その際のポイントは，内部統制について主要統制手続ごとに以下の表を用いて現状と改善策の分析を行うことである。

なお社会福祉法人は所轄庁の認可を受けて設立され，適時指導監査を受け，常に法令等の変更により発生する必要な組織改革を継続的かつ着実に行い，適切な事業運用維持する必要がある。

■ 内部統制の計画立案と導入および監視・変更（出納業務を例として）■

統制内容【何を（What)】現金預金の月末実査手続き
統制目的【なぜ（Why)】月末時点の現金預金の実在性の検証
統制対象場所【どこで（Where)】法人本部および各拠点

	誰が（Who）	誰と（Whom）	いつ（When）	どのように（How）
①導入（計画）	本部企画	各拠点出納係	X1.1.1	稟議申請
②導入承認	理事長	―	X1.1.3	稟議決済
	理事会	―	X1.1.4	決議
③適用	本部企画	各拠点出納係	X1.1.5	手作業
④運用	各施設長	各拠点職員	X1.1.5 ～	マニュアル
⑤モニタリング	内部監査	各拠点職員	X1.6.30	実地監査
⑥変更（計画）	本部企画	各拠点出納係	X1.8.1	指摘事項改善
⑦変更（承認）	理事長	―	X1.8.10	稟議決済
	理事会	―	X1.8.12	報告／決議

3. モニタリング

内部統制の有効性をモニタリングする観点からは財務報告の内部利用者（理事者，理事会，監事および内部監査部門，外部監査担当者）が財務諸表を全体→大区分→中区分→小区分とブレイク・ダウンして分析管理できる様式すなわち内訳書・明細書を作成し，拠点区分別の責任者である施設長および事業責任者である理事が説明責任を果たす体制の確立が必要である。

なお法人全体の事業報告および計算書類等の所轄庁への報告と説明責任は理事長にある。監事は事業報告および計算書類ならびにこれらの附属明細書（法45条の28）について業務監査および会計監査を実施し監査結果を監査報告として作成して理事会に提出し（第2章 17 3. 4. 参照），評議員会および所轄庁に報告をする責務を負っている。つまり監事監査は内部統制の有効性についてのモニタリング機能を果たしているといえる。

3 内部統制の運用と主要統制手続

出納業務に対する内部統制について，最低限チェックすべき10の事項が示されている〔改訂：市区町村社協事務局長の出納業務に関する10のチェックポイント〕のでこれを参考に内部統制の運用のキーとなる出納統制手続を解説する。

(1) 簿外の預金口座がないことの確認（網羅性）

社会福祉法人に係るすべての預貯金口座の名義と届出印を掌握し記録として保持し，常に更新すること（名義は，原則，法人名）。

(2) 通帳と印鑑の保管担当の分離（相互牽制）

預貯金通帳，預金証書と届出印を別管理すること（届出印は，統括会計責任者または会計責任者，預金通帳は経理職員）。

(3) 業務分担と相互牽制

会計伝票の（起票・検印）決裁手続を定め常に遵守すること。

(4) 総額処理（入金と出金が直接相殺されて簿外処理されることの防止）

入金と出金を厳格に区分し，入金した現金等は必ずいったん金融機関に預け入れることとし，決して直接支払に充当しないこと。また現金取扱場所をすべて掌握すること。

(5) 出納業務の標準化と簡素化（事務効率向上とミスの減少）

支払はあらかじめ定めた取引金融機関の口座から，相手先の預金口座振込により行うこと。また原則定時払制（例：毎月20日締 毎月末日支払）とすること。

なお金融機関との取引においてオンラインを利用している場合は次の点に留意すること。

① 二重・三重のパスワードにより使用者（権限）を制限する（例：データ送信用パソコン起動時，経理担当者振込データ作成時，管理職決裁時

等）。

② 振込データ送信時のパスワードは振込データを作成しない管理職が管理し，送信の承認を行うこと。

③ 出納責任者は送信した結果について確認をすること。

④ パスワードは必要に応じて変更すること（例：半期ごと等）。

⑹ 事務作業の効率化と会計伝票の削減

1件1万円以内の常用雑費の支払いにかぎり，小口現金制度（例：5万円を限度）を採用し行うこと。なお定額前渡制度の導入も検討すること。

なお，関連資料として，厚生労働省より平成29年4月27日に発表された，「会計監査及び専門家による支援等について」における，財務会計に関する事務処理体制の向上についての支援項目リストも参照していただきたい。

⑺ 現金預金の実在性と帳簿の正確性の確認

毎月末必ず，現金・預金証書・通帳を会計責任者立会のもとで実査し，会計帳簿記載の現金・預貯金残高と照合をすること。なお実査に先立ちすべての普通預貯金口座の通帳は更新しておくこと。

⑻ 決算日における現預金・借入金の実在性と網羅性の確認

決算日（3月31日現在）には，すべての取引金融機関からすべての預貯金と借入金を含む取引の残高証明書を取り寄せ，会計帳簿記載の預貯金残高，借入金残高との照合をすること。

⑼ 決算日における債権・債務の実在性と網羅性の確認

決算作業では，貸付金・未収金等の債権，銀行以外からの借入金，未払金等の債務について，相手先と残高の確認をすること。

⑽ 決算日における固定資産の実査による実在性と網羅性の確認

決算日近くで，固定資産台帳記録に記載の固定資産（例：1件10万円以上）が実在し正常な状況であることを確認すること。

4 内部統制の運用状況の把握と有効性の確認

内部統制の運用状況の把握と有効性の確認は，報告対象期間のすべての時点を対象とする。

1. 内部統制の把握・確認手続

- 内部統制を書類として記録している資料（経理規定，フローチャート，事務処理マニュアル，指導監査の指摘事項とその回答等）を閲覧することにより現況を確認する。
- 閲覧と同時に担当者に質問で疑問点を解消する，この場合には「5W2H」（「いつ」，「どこで」，「誰が・誰に」，「何を」，「なぜ」，「どのように」，「いくらで」したか）を意識して質問する。
- 実際に最近の取引事例を選び事務処理の流れに沿って（前進法）または流れを遡って（遡及法）たどりながら書類の閲覧，統制作業の視察，必要な質問などにより現状を確認する（ウォーク・スルーでの確認）。
- 運用評価の対象とした主要な内部統制手続の運用状況を実際にテストにより評価する。テストの方法はテスト対象とした主要統制手続により管理されている取引の全体（母集団）からテスト対象とするサンプルを抽出して，サンプリングの手法を使ってテストする。この場合統計的なサンプリング手法の利用も検討する。評価の主体は監事または内部監査部門が一般的であるが，組織がない場合にはプロジェクト・チームを作って担当させる方法が合理的である。
- 内部統制の運用状況の把握と有効性の確認手続により主要統制手続が有効に機能していない事態が発見された場合には速やかにその原因を調査し，改善策を策定の上で改善に着手する。このことは，不適正事項を防止する最大の手法である。

なお現行法では内部統制を内部管理体制とし，その整備の基本方針は理事会が決定する（法 45 条の 13 第 4 項 5 号，第 5 項）。この基本方針を受けて内部統制の設計・業務への導入および運用実施は理事長および理事の責任であるので，改善に対して明確に責任を自覚して事にあたる必要がある。法人内に適当な担い手となる人材が不足している場合は，外部の専門家に内部統制の改善のアドバイス等を求めるのが有効な手立てであると考えられる。

2. 内部統制の運用状況の記録

現金支出（現金払い）と銀行振込手続（預金からの支払）について会計伝票を中心に相互牽制（誰が業務をするか）を記録した例を示す。

(1) 現金支出

現金の支払いが「拠点区分」単位で行われるケースを想定している。

■ 現金支出 ■

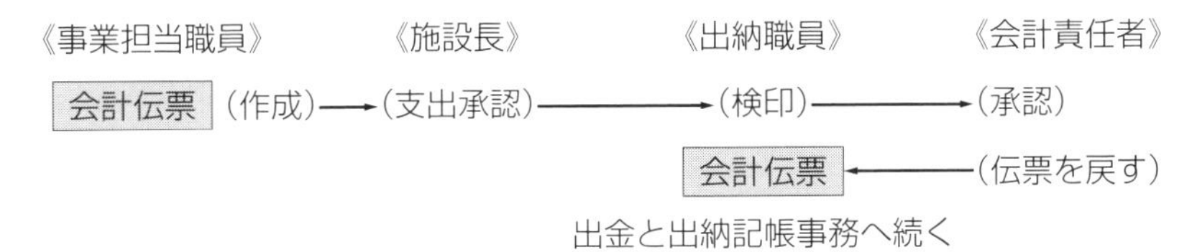

(2) 銀行振込

法人本部（「拠点区分」の1つ）が管理する預金から法人全体の銀行振込をするケースを想定している。

■ 銀行振込手続 ■

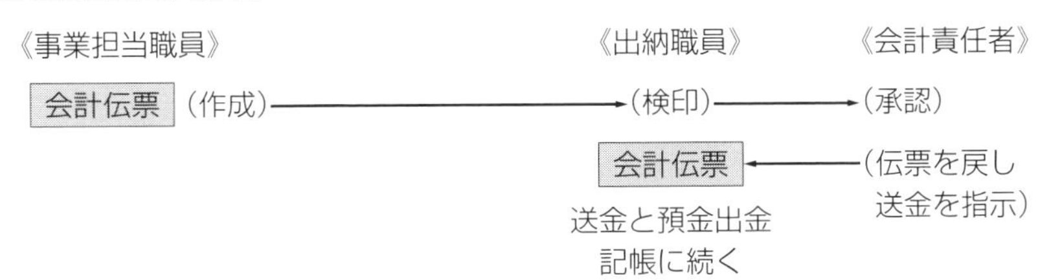

5 資産（含む預り資産）の保全と内部統制

1. 社会福祉法人の資産

社会福祉法人の資産に関してはその保全の仕組みを確立する必要がある。現金・預金等の資金に関する保全は3で説明したとおりであるが追加するとすれば，物理的に頑丈な金庫を設置し，そのカギの保管方法を厳格化した上で防犯体制を確立することで資産の保全が強化される。棚卸資産は決算期末日，固定資産は決算期末日までに実地棚卸を実施するのが望ましい。土地・建物は統括会計責任者が登記簿により，所有権や抵当権の確認を期末日現在について行うことが必要である。

2. 利用者からの預り資産(社会福祉法人の資産に計上しない項目)

預り資産の管理については以下の手続が想定されている。ただし現金は社会福祉法人所有分と預り分の区分が現物からは困難なため現金形態での預かりは原則禁止することと，法人所有の現金の管理についても保管場所（金庫）を別にする等の配慮が必要となる。

利用者からの預り資産の保全と管理の詳細な手続についての具体的な管理統制手続については「受託事務団体の出納業務や利用者等からの預かり金品の管理等に関する6のチェックポイント」を参考にして説明する。

(1) 網羅性の確認

外部（事務受託団体や利用者等）から預かっている預貯金通帳や届出印の所在とその残高をすべて掌握し，管理者，保管場所，残高等のリストを作成し，残高については毎月確認すること。さらに機会あるごと（不定期）に，リストに基づきその存否を確認すること。

(2) 権利と義務の明確化

貯金通帳や届出印の預かりについて，その口座名義人と必ず「預り証」

およびその取り扱い等について「覚書」や「事務委託契約書」等を取り交わすこと。また口座残高について口座名義人と定期的に確認を得ることなどをルール化し，実施すること。

⑶ 法令遵守

事業実施要綱等に預貯金通帳の預かりや現金の取り扱い等に関する規程がある場合は，その遵守を徹底すること。

⑷ 出納手続の確立

預り資産の出納は，原則として経理規程を規定し必ず遵守すること。特に，下記事項は必ず実施すること。

① 預貯金通帳と届出印は，それぞれ別の職員が管理すること（届出印は，会計責任者または出納責任者の管理とすること）。

② 払い出しにあたっては，少なくとも2人以上の職員がチェックすること。

⑸ 現金の取り扱いの禁止

現金の取り扱いは，原則として行わない。やむを得ず取り扱う場合は，下記の取り扱いとすること。

① 現金で入金があった場合は，預貯金口座に預け入れ，直接支払いに充てないこと。

② 支払いは，銀行口座間の振込を原則とし，現金による支払いは，小口現金（5万円程度を限度）の範囲で行うこと。

③ 現金で出入金をするときは，必ず領収書等を取り交わし，記録に残るようにしておくこと。

⑹ 定期・抜打ちでの金庫実査の実施

取り扱いが不明瞭な預貯金通帳や現金が無いよう，機会あるごと（不定期）に保管責任者を明確にし金庫を会計責任者立会の上で点検すること。この場合すべての金庫の保管物を同時に実査すること。なおより厳密な点検のためには外部専門家に委託することも選択肢の1つである。

6　業務の効率化とサービスの向上のための内部統制

従来の提供すべきサービスの質と量が行政であらかじめ定められている措置制度では法令の遵守（コンプライアンス）が最重要課題であり，業務の効率化の余地はあまりなかったと考えられる。ところで最近の制度の改正により利用者が自ら指定事業者を選び契約する形（支援費支給方式）への転換では，選択の幅が広がり，利用者と提供者の対等な関係が構築できると説明されている。業務執行を担う施設長とそれを監督する立場の理事は企業組織が提供するサービスとの競争にさらされるため，よりいっそう業務改善に努力しなければならない。

1. 法令で定められた福祉サービスの質の向上のための取組

社会福祉法第8章福祉サービスの適切な利用（第75条から第88条）に具体的かつ適切に実施すべき取組として重要事項説明書の交付，サービスの質の評価，苦情解決が列挙されている。

⑴　重要事項説明書の交付

社会福祉事業経営者は，利用契約成立時に利用者に契約上の重要事項を記載した「重要事項説明書」を交付こととされている（法77条）。

⑵　サービスの質の評価

社会福祉事業経営者は提供する福祉サービスの質について評価を行い，その他必要な措置を講ずることにより，常にサービスを受ける利用者の立場に立って，良質かつ適切な福祉のサービスを提供するよう努めなければならない（法78条）。

⑶　苦情解決（第1章16参照）

利用者等からの苦情に対して適切な解決に努めることとされている（法82条）。具体的には法人の各施設・事業所に①苦情解決責任者，②苦情受付担当者，③第三者委員を置くこととされている。また苦情処理を記録し苦情対応マニュアルを整備するなど各役割が実質的に機能するように努めることが重要である。

2. 実質的なサービス向上の仕組

法令では実質的なサービス向上のための内部統制を自主的に改善し効率を上げるための詳細な仕組みは具体的に示されていない。より良い運用のためには各組織が日々の業務の中から問題点を発見し，問題点の解決を目指して日々改善努力していくことで，職員のやりがいが生まれ，効率の向上と活気にあふれた職場環境の実現へつながると考えられる。法人本部に事業企画を担う人材がいない場合にはプロジェクト・チームや委員会の設置によってカバーすることが考えられる。ケースによっては外部の専門家の助言や評価（第三者評価）を得ることが有益である。利用者へのアンケートや上記 1. で把握した苦情や，他の社会福祉法人の事例をインターネット上で収集して分析し，問題点の本質を発見しその改善について組織をあげて取り組む必要がある。

具体的には常設の専門組織（例えば企画，内部監査，ない場合には委員会等）が責任をもって問題の発生の原因を調査し，その対応策を策定し，業務改善につなげ，実際に改革後の仕組みでうまくいくか見極め，次の改善サイクルへとつないでいくことが必要である。

具体的に用いられる手法としてPDCAサイクルがあるが，社会福祉法人においても，理念方針に基づきPlan（計画・標準化）→Do（実施・記録）→Check（評価検証）→Action（対応策実施）→Plan（再計画・再標準化）のサイクルを回して改善を促進することができる。

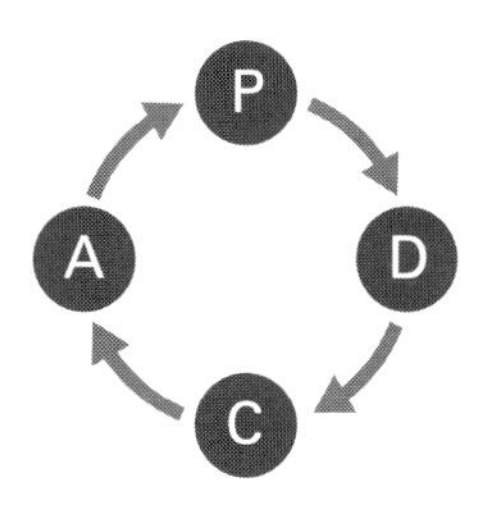

7 不正の発生とその防止

社会福祉法人における不正は所轄庁の強い権限（業務および財産の検査，改善措置命令，業務停止命令，役員の解職勧告，解散命令など）を考えると，法人にとって致命的な重要性をもつので特にその防止に努める必要がある。指導監査では不正とは呼ばずに不適正・不適切事例として公表している。不適正・不適切をしたというケースと，法令・定款ですることが求められているのに何もしなかった（またはできなかった）ケースもあるので対策を考える上でも配慮が必要となる。

不正事例は所轄庁がホームページ等で公表している社会福祉施設等に対する指導監査の概要に，指導監査の結果どのような指摘事項が過去にありどのように処理されたか，あるいは重大な改善命令となったかなどが開示されている。これらを入手分析の対象とすることができる。

インターネット上で公表されている事例に鳥取県福祉保健部福祉保健課が2013（平成25）年3月に公表した「社会福祉法人指導監査における行政処分発動基準等に関するガイドライン（案）」がある。

その内容を要約すると次のとおりである。

■著しく不適正な指摘事項であるがすでに改善済みまたは改善可能な事例

① 理事会の承認を得ない借入の実行

② 法人の資金の外部に流出（一時的）

③ 現金収入を帳簿に計上せず直接支出（入金・出金の簿外処理）

④ 承認を得ない法人財産の担保提供

■著しく不適正な指摘事項であり，改善が困難で時間がかかる事例

⑤ 法人財産の私的・個人的利用

⑥　国庫補助金等の意図的な不正受給

⑦　理事会等の議事録の偽造あるいは偽装

⑧　理事(長)等との不適切契約・架空契約による資金流出

■著しく不適正な指摘事項であるが，事実解明ができず，引き続き，事実解明を要する事例

⑨　多額の法人資金の外部流出（回収が困難）

⑩　法人とは関係のない使途不明の多額の支出

⑪　理事(長)や法人の職員による多額の法人資金の横領の疑い

これらの項目がある場合には，運営等に重大な問題を有する法人とみなされ，特別監査の対象となる（実施要綱2項(3)）。このため上記の①～⑪に示した不適正指摘事項は社会福祉法人の経営が危機に直面する可能性のある事項（業務上のリスク）となる。それぞれについて各社会福祉法人でその兆しも含めて該当事項はないか，防止のための手段（内部統制）は設計され，導入され実際に運用されて有効に機能しているか確認する必要がある。確認にあたっては不正の発生の3要素である「動機」，「機会」，「正当化」が生じる余地がないかを意識して現状を分析することが必要である。なお，内部監査が不正の防止に役立つことは本章**9**で詳しく説明している。

8 社会福祉法人の内部監査と内部統制の有効性の確認

理事長の指揮下において法人本部および施設・事業所の業務および会計に関する内部統制の運用状況をモニタリングするためには内部監査が必要であり，その業務を担当する部署を法人本部に設置し，適切な業務運営に貢献することが求められる。「社会福祉法人モデル経理規定」の「第11章 会計監査」において内部監査は規定されている。なおその注記で内部監査は「大規模な法人については，内部監査部門を設け，内部監査を実施させることが望ましい」と規定されている。「望ましい」との表現は設置が任意であることを示しており，まだ多くの法人で設置されるに至っていない。なお内部監査は外部の専門家に委嘱することが可能な業務である。

■ 社会福祉法人モデル経理規定に定められた内部監査 ■

（内部監査）

第63条　理事長は，必要があると認められる場合には，法人内の会計業務が関係法令及びこの経理規程の定めに従い，重大な誤謬発生の危険がなく効率的に行われていることを確かめるため，内部監査人を選任し監査させるものとする。（注38）

2　理事長は，前項の監査の結果の報告を受けるとともに，関係部署に改善を指示する。

3　監査報告に記載された事項に関する改善状況は，後の内部監査において，追跡調査するものとする。

4　理事長は，状況に応じ，必要があると認めた場合には，理事会の承認を得て，第1項に定める内部監査を外部の会計専門家に依頼することができる。

（注38）大規模な法人については，内部監査部門を設け，内部監査を実施させることが望ましい。

ここでは内部監査部門が設けられ内部監査が実施される場合を想定して役割と実施手続とその機能について解説する。

1. 内部監査の役割

内部統制の主要な要素であるモニタリング機能すなわち法人が定めた業務の手続を各職員が守って業務効率の向上と不正・誤謬の発生防止に役立てているかを理事長の特命を受けライン組織から独立して常時第三者的に監視する機能がある。また所轄庁の指導監査の対応の準備，立会，過去に指導監査で指摘された事項や，内部監査が指摘した事項の改善状況の確認等の役割も担っている。

2. 監査実施の方法

監事監査や外部監査で用いられる手法である内部統制の理解およびその知識の更新，内部統制の運用評価のテスト（通常は試査，必要に応じて精査）を実施するとともに，指摘事項を整理して理事長に報告する。

3. 内部統制の有効性確認

行政が実施する指導監査を先取りして内部統制に関する前回指摘事項の追跡と改善状況の把握と確認，内部統制の現状の把握（前回の内部監査調書の確認とその後の変更情報の入手，変更に伴う問題点の把握）を行い内部統制手続の内主要な統制手続をリスト・アップしどのような頻度でテスト対象とするか内部統制監査計画を策定する。監査計画に基づき，どの主要統制手続をいつ監査対象とするかローテーションを決める。

実際の内部統制の有効性確認の手続は外部監査で説明する手続きとほぼ同一であるので，内部監査導入時には外部監査人に応援を頼んで監査手法の伝授を受けることも考えられる。なお内部統制の評価は監事も実施するため内部監査部門は監査結果を監事に伝えるなどの連携が望まれる。

9 内部監査による取引・期末財産の検証と報告

1. 内部監査の機能

内部監査はラインに組み込まれた独立した監視（モニタリング）機関として内部統制の運用状況を評価し，不正・誤謬の「機会」を減らし，不正の「動機」が生じない職場環境を維持しているかを把握し，不正の「正当化」つまり言い訳ができる状態に職場がなっていないかを検証して，もし不備があればそれをなくす方策の提案とともに，理事長に直接報告することにより不正・誤謬の防止，減少，発見と是正につなげる機能を有している。

2. 実証的詳細手続

取引・期末財産残高を検証する監査は，外部監査では実証的詳細手続と呼ばれ，公認会計士が財務諸表の適正表示の監査手法である。内部監査人が監査する場合には外部監査の手法を参考にするのが賢明である。

実証的詳細手続の手法には取引サンプルを証憑類のファイルから選んでチェックする方法「前進法」（取引の発生を示す証憑をもとに取引が処理される順に，取引の認識，記録，集計，報告をチェックする方法）とその逆の「遡及法」（財務諸表に含まれる取引を選んで取引の流れを逆にたどる方法）がある。

■ 実証的詳細手続 ■

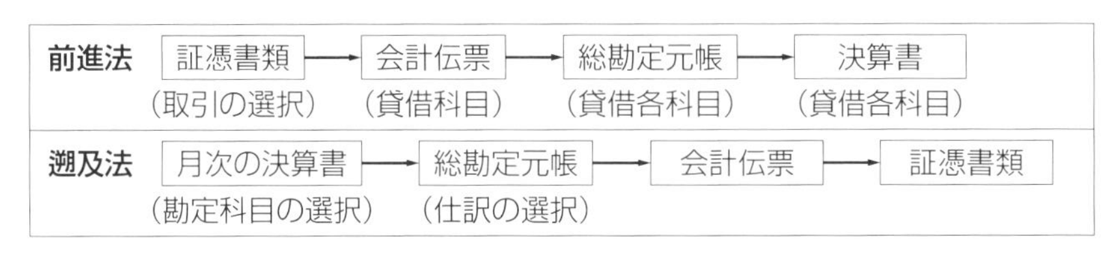

この作業は記録された取引自体を実証する手続（認識時点の適時性，取引金額測定の正確性，仕訳科目の適切性等を立証する手続）と主要統制手続が実際に有効に整備され運用されているかを検証する内部統制の運用評価手続を同時に満たす二重目的テストとして実施する場合が多い。また資産・負債の残高については，帳簿上に計上されている残高が実際に実在し，もれなく計上されていること，を確かめるために現金預金，有価証券について手持分は期末日に実査し，外部に預け分については残高確認書を入手する手続を実施する。残高確認書は内部監査部門が直接送付し回収する方法が立証力を高くする。また土地，建物については登記簿謄本を期末日以降に閲覧し，所有権が登記上も明確であること，抵当権が付されている場合には財務諸表に正しく開示されていることを検証する。なお内部監査の特色として，特にテーマを決めた場合には特定の取引・残高について精査（すべての項目をテストする方法）によることもある。

3. 監査結果の開示

内部監査の結果は理事長に対して報告されることとなる。所轄庁を含めた利害関係者への開示はほとんど実施されていないと推定される。各種の監査を含めて実施した監査の結果をインターネット上の法人のホームページで開示することが望ましいが実際に開示している例は少数である。この状況をどのように改善していくかは今後の重要な課題である。

事例としては，「社会福祉法人さいたま市社会福祉事業団内部監査結果報告書の公表について」（2017年度）などがあり参考になる。

10 社会福祉法人の監事監査と監査計画

1. 監事監査

監事は2名以上必要（法44条第3項）で，評議員会の決議により選任される（法43条）。選任される監事には社会福祉事業について識見を有する者および財務管理について識見を有する者が含まれなければならない（法44条第5項）。なお監事の権限と義務をまとめると図表のとおりである。

■ 監事の権限と義務 ■

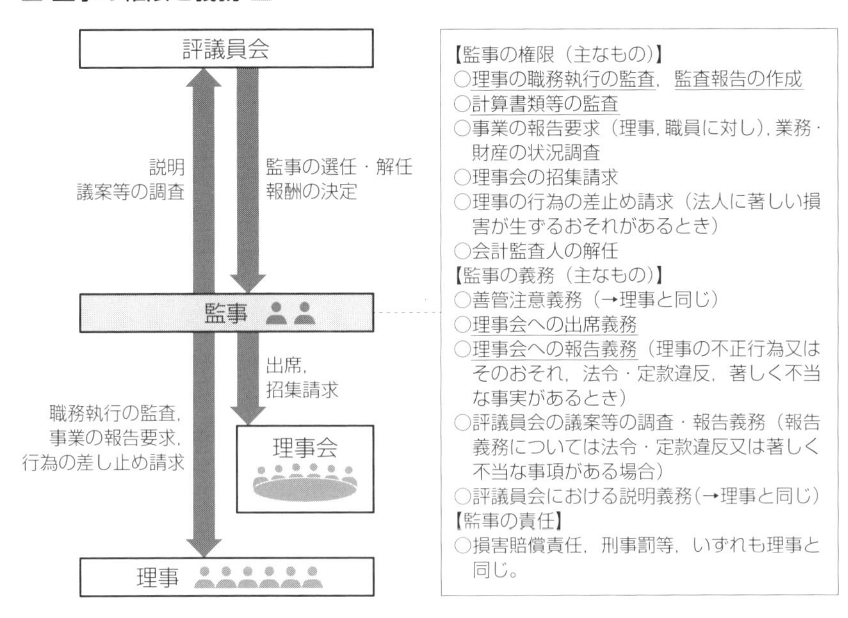

出所：厚生労働省社会・援護局福祉基盤課「社会福祉法人制度改革の施行に向けた全国担当者説明会資料」37頁（2016年11月28日）http://www.mhlw.go.jp/file/06-Seisakujouhou-12000000-Shakaiengokyoku-Shakai/0000144140.pdf

改正後の社会福祉法人の監事の役割は，制度の上では上場会社の監査役等に匹敵するものとなっている。監事の監査の詳細な手続きについてはいくつかの地方自治体がインターネット上に有用な資料を公開している。例えば，長崎県福祉保健部「社会福祉法人における監事監査マニュアル(例)」(2014年5月)。ただし2017年4月1日施行の現行法への適用には遅れているので，利用する場合には現行法に更新されているかをよく確認し，各法人の状況に合わせて監査手続きを追加・修正・削除して使用することが必要となる。

2. 監査計画

監事監査は計画的に実施されなければならないが，監査計画を公表している事例は見受けられない。しかし監事監査を効率的・効果的にするには監査計画を監査着手前および監査進行中に策定・改訂して実際の監査を実施することが望まれる。参考として監査の計画の流れの例を以下に示す。

① 前年度の監査の問題点，法令，定款，組織等の変更点を把握して監査の重点および監査対象拠点を選び日程調整等を実施する。

② 監査手続についてもインターネット上で公開されている監事監査マニュアルを参考にして監査の手続と調書の様式等を用意し，可能であれば「事前作成依頼資料」を作成する。監査対象部署に事前に資料の作成を依頼する。

③ 法人の規程等で通知の方法が定められている場合は，その定めに則して監査を行う旨を関係部署と監査対象部署に通知する。同時または後日に「事前作成依頼資料」の作成を依頼する。

④ 各拠点での監査と監事のデスクでの監査を区分して計画する。

⑤ 監査報告書を作成し報告する。なお日程は明確にする必要がある。

⑥ 監査の結果を理事会に報告する。報告日程は事前に確認する必要がある。

⑦ 監査の結果を評議員会に報告する。

※ 実際の計画書では，上記の①から⑦の番号の箇所には日付が入る。

11 監事監査の手続（業務監査と会計監査）

社会福祉法人の監事監査は意思決定と業務執行体制について整備運用されている内部統制を検証し，それらが適法かつ合理的に行われていることを監査する業務監査と会計記録を含む財務情報の作成を適正に行うために整備運用されている内部統制の有効性を検証することを含む会計監査に区分される。

1. 理事の業務執行の監査（法 45 条の 18）—内部統制の評価を含む

内部統制の環境を確認し，業務に関連する内部統制手続の現状把握とその有効性の評価等について監事監査で取り組むべきポイントは以下のとおりである。

① 規定の整備状況の確認を行い定めるべき規定が定められ，更新されていることを確認する

② 事業報告書の記載内容が法人の実態と整合性があるか確認する

③ 役員の選任手続と報酬の決定，理事会・評議委員会の開催とその議事内容と議事録の整備を会議への出席または議事録の閲覧等により確認する

④ 従業員の人事・労務管理に関して法令の準拠性および人材の確保と教育訓練が適切であることを確認する

⑤ 施設管理の状況や防災・防火・非常災害・感染症予防・事故発生防止等の対策について確認する

⑥ 福祉サービスの質の向上のための取組みが適切に行われているか確認する。すなわち重要事項説明書の交付，サービスの質の評価（第三者評価），苦情解決について現状の把握と問題点の指摘をする

⑦　会計監査の前提となる内部統制について会計伝票の作成・検印・承認・処理のあるべき手続と監事がサンプルチェック等で把握した実際の運用状況を照合して決算のために十分信頼できるかどうかを判断する。資金に関する内部統制や預り資産の内部統制についても制度の運用状況について確認する

2. 計算書類等の監査（法45条の28第1項）—取引・残高

会計監査については公認会計士の監査に適用される監査基準に定められている監査要点である実在性，網羅性，権利と義務の帰属，評価の妥当性，期間配分の適切性，表示の妥当性に加えて計算の正確性を確認する手続を財務諸表の勘定科目別に実施する。監査手続としては実査，確認，立会および会計帳簿と証憑書類の閲覧照合，責任者への質問，現場視察等があげられる。

会計監査について実施すべ詳細な手続きの例示は以下とおりである。

①　会計システムが手書処理かコンピューター処理かを確認し，経理規定により勘定科目体系と部門別区分（サービス区分，拠点区分等）の適正性を確かめる。

②　予算の承認，補正予算の承認，勘定科目間の流用と予備費の使用の適正処理を，理事会への出席，議事録の閲覧，理事者への質問等で確かめる。

③　出納・財務に関して会計伝票を閲覧し，総勘定元帳への記入や決算書への反映を確かめる。必要に応じて会計伝票と証憑書類（領収書，請求書，検収伝票・サービス履行確認書等）との照合を行う。受け入れた寄付金については会計伝票と所定の寄付申込書と，あらかじめ連番を付した複写式の公式領収書の控えを照合する。

④　契約状況については業務委託契約や工事請負契約が経理規定の定め

により一般競争入札，指名競争入札，随意契約の区分けが正しく行われているかを確かめ，その後のサービスの提供状況や工事の進行状況について質問や書類の閲覧，現場の視察等により確かめる。

⑤　資産・負債の期末残高の適正性について残高確認できる債権債務の残高確認，銀行残高（預金および借入金等）の確認等を行い期末の実在性，網羅性を判断する。資金運用等がある場合は理事会の承認等の手続きを定めた資金運用規定の方針に従った運用がなされていることを確かめるとともに，期末に証券会社等に預けている公社債や株式などの有価証券については必ず残高確認書を入手して照合を行う。受取手形・未収金・貸付金等の債権に対する徴収不能引当金，賞与引当金，退職給付引当金については合理的な計上基準により計上されているか会計伝票とその基礎資料を閲覧し必要に応じて再計算等を行い確かめる。なお担保提供資産がある場合には担保提供の内容と目的および理事会等の承認および所轄庁への届出が適切に実施されていることを確認し注記に反映されていることを検証する。

⑥　手持ちの現金，預金，有価証券について，法人の出納職員の期末日における実査記録（少なくとも会計責任者のまたはその代行者が立会したもの）を閲覧する。状況次第で監事が直接実査する。なおその場合に期末日以降の実施となった場合には現金出納帳や総勘定元帳等で期末日までさかのぼって取引をチェックして残高の実在性を確かめる。なお棚卸資産が重要な場合には期末日に行われる実地棚卸に立ち会う必要がある。重要でなければ法人の棚卸記録を閲覧して残高の適正性を確認する。

⑦　入所者預り金については期末に残高を担当者以外の会計責任者が通帳の残高と預り金に関する記録が一致していることを確かめる。少なくとも年に１回は銀行からの残高証明書を入手して通帳と照合する手続が確立していることがのぞましい。

⑧　計算書類・事業報告・附属明細書・財産目録等作成が必要な書類がすべて作成されているか確認する。

3. 計算書類等及び財産目録の開示と監査

計算書類及び事業報告並びにその附属明細書並びに財産目録の作成は理事長をはじめとする理事の責任であり，監事はその適正性について意見を述べる役割を担う（法45条の28）。計算書類等と財産目録は監査報告書とともに後日所轄庁へ提出されて，指導監査の対象となりまた一般に公表が予定されているため当年度の表示内容については十分な時間をかけて会計帳簿等とチェックする必要がある。なお計算書類等が前年度との対比形式で表示されている場合は前年度の金額について前年度の計算書類等との一致をチェックする必要がある。

具体的には資金収支計計算書の基本となる資金の定義が明確で経理規定によっているかの検証を行った上で以下の手続を実施する。

①　計算書類等の体系を確認する（第2章11参照）

②　事業区分間，拠点区分間またはサービス区分間の資金異動の開示の適正性を確認する

③　計算書類等の表示科目を会計帳簿（含む精算表）と照合する

④　計算書類等を構成する各計算書類，注記，附属明細書および財産目録について必要な項目の金額等が相互に一致しているかまたは合理的に調整ができるかを検証する

⑤　予算と実績の差異，対前年度増減等の理由について理事者等に質問してその合理性を確かめる

⑥　決算数値により財務分析を実施し異常な値等の有無を確認するとともに理事，施設長，統括会計責任者等に異常値の有無と内容について質問し総合的に説明できない異常値がないことを確認する。この手続きは実証的分析手続と呼ばれる

12 会計監査人による外部監査

外部監査の枠組みに含まれる会計監査人監査とは，社会福祉法人から独立した立場で貸借対照表及び収支計算書及び附属明細書等（以下「計算関係書類等」という）が適正に表示されているかどうかについて監査を行い意見の表明を行うことである。会計監査人は公認会計士または監査法人でなければならず（法45条の2第1項），社会福祉法人の計算関係書類等を監査する。

1. 会計監査人設置対象となる法人

■ 社会福祉法人に対して公認会計士が行い得る業務 ■

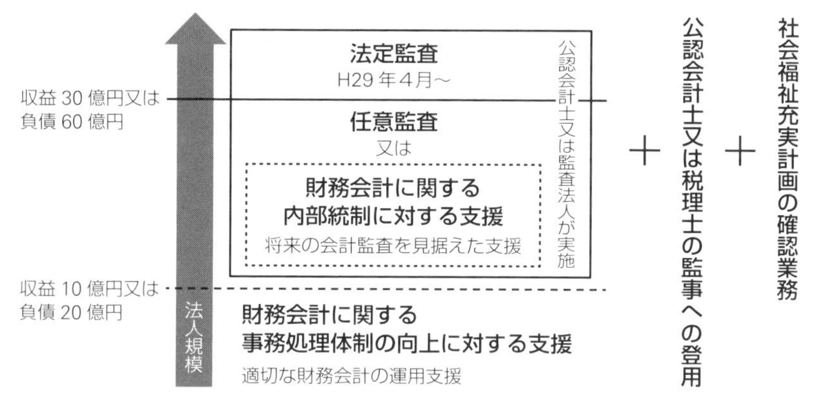

出所：日本公認会計士協会「非営利法人委員会研究報告第32号「会計監査人非設置の社会福祉法人における財務会計に関する内部統制の向上に対する支援業務」の公表について」参考資料

会計監査人は，一定規模以上の特定社会福祉法人において設置が義務付けられているが（法37条），定款の定めによって会計監査人を設置することもできる（法36条第2項）とされている。

特定社会福祉法人とは，収益30億円を超える法人または負債60億円を超える法人のことをいい（社令13条の3第1号・第2号，施規第2条の6），2017（平成29）年度以降会計監査の導入が義務付けられている。「社会福祉法等の一部を改正する法律の施行に伴う関係政令の整備等及び経過措置に関する政令等の公布について（通知）」によると，2017年度以降の会計監査の実施状況等を踏まえ，見直しを行い会計監査人設置義務対象法人の範囲が段階的に拡大することが想定されている。

2. 会計監査人の監査対象

会計監査人たる公認会計士監査の目的は，被監査法人を取り巻く多様な利害関係者に対し独立した第三者として，被監査法人の財務報告の信頼性を担保することにある。公認会計士は監査および会計の専門家として，一般に公正妥当と認められる監査の基準に基き行うため，「会計監査人監査」は所轄庁が実施する「指導監査」とは異なり，計算関係書類等が法人の財産等を適正に表示しているか否かについて意見を表明することで責任を負う。

会計監査の対象となる社会福祉法人は，毎会計年度終了後3ヵ月以内に，監査済の計算関係書類等を作成しなければならず（法45条の27第2項，法45条の34），会計監査人は，計算関係書類等を受領したときは，計算関係書類等に対して意見を表明する。しかし，意見表明の対象となる書類は，「法人単位の計算書類およびそれらに対応する附属明細書の項目ならびに法人全体の注記」に限られる（施規第2条の22，2条の30）。

3. 監事との連携

監事は「業務監査」と「会計監査」を担当し，会計監査人とは異なる立場で監査を実施することになるが，監事と会計監査人は連携して監査を実施することにより，より効果的な監査を実施することができる。

監事は，会計監査人に対し監査に関する報告を求めることができるとともに，会計監査人が不正や法令・定款違反を発見した場合は監事に報告しなければならないとされ（法45条の19第6号），監事との連携によりガバナンス体制の向上が期待される。

13 会計監査人監査初年度の対応

1. 会計監査人の選任

会計監査人監査は計算関係書類等に対して意見を表明し，その信頼性を担保することにあるため，会計監査人に対して強い独立性が求められている。

会計監査人に求められる強い独立性とは「精神的独立性」と「外観的独立性」のことを指す。精神的独立性とは，常に公正不変の態度を堅持できる状態のことをいう。外観的独立性とは，第三者からみた際に，誠実性，客観性および専門家としての懐疑心が阻害されていると合理的に推測されるような事実や環境をさけることである。

会計監査人に就任する公認会計士が監査対象法人の理事や監事に就任している場合や税務顧問に就任している場合については，外観的独立性を堅持し得ず，自己レビューや馴れ合いとなるため禁止されている。そのため，役員や税務顧問に就任している公認会計士は，会計監査人に就任するには役員等を退任しなければならない。役員等の退任時期と会計監査人就任時期については日本公認会計士協会が公表している「社会福祉法人の会計監査人就任に当たっての独立性に関する留意事項」参考とされたい。

会計監査人の選任にあたっては，評議員に会計監査人選任議案を提出する前に監事の過半数の同意が必要であり，その後評議員会の決議によって選任される（法43条第1項・第3項)。報酬等の決定については，監事の過半数の同意を得なければならないとされている。報酬等の目安については，日本公認会計士協会が「公認会計士監査（会計監査人の監査）の概要 Ⅵ. 監査報酬実績（参考資料)」として公表しているので参考とされたい。

2. 初年度の会計監査

以下の計算関係書類の関連図にも示しているとおり，貸借対照表，資金収支計算書，事業活動計算書は相互に関連性を有している。期首の貸借対照表に誤った金額が入ったままの状況であれば，期末の貸借対照表にも誤った金額，仮に期末の貸借対照表が正しいと仮定すれば監査対象期間の資金収支計算書または事業活動計算書に誤った金額が入ったままの状況となる。そのため，初年度の監査においては，期首の貸借対照表残高を中心とした監査が必要不可欠となる。

■ 計算関係書類の関連図 ■

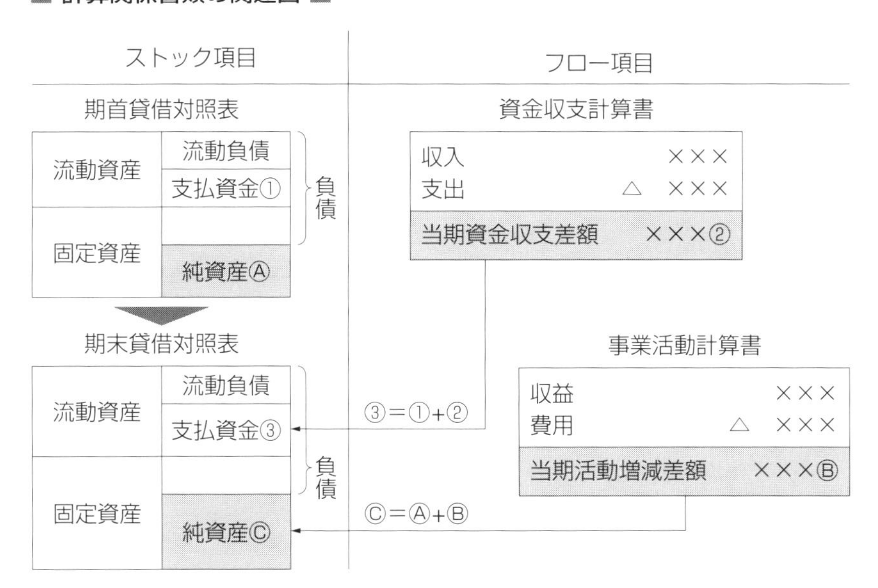

14 会計監査人の監査手法(1) 監査計画

会計監査人の実施する監査の目的は，社会福祉法人が作成する計算関係書類等が，わが国において一般に公正妥当と認められる社会福祉法人会計基準に準拠して，財産，収支および純資産の増減の状況をすべての重要な点において適正に表示しているか否かについての意見を述べるものである。

会計監査人が実施する監査は事業リスク・アプローチという手法で行われる。監査の人員や，時間は有限であるため，すべての項目に対してチェックすることは非効率であり，監査人は総括的に監査経済環境，社会福祉法人の特性などを勘案して，計算関係書類の重要な虚偽記載につながるリスクのある項目に対して重点的，効果的に監査を行う。2年目以降の継続監査では次頁の監査スケジュール概念図のように監査が進行する。

会計監査人監査は大きく分けて①法人の管理体制の検討（内部統制の評価）と②会計帳簿数値の検討（取引・残高の実証）で構成される。

内部統制の評価においては，法人全般に係る内部統制の理解・評価，事業・日常業務運営に係る管理体制の理解，IT 利用状況の確認等を行ったあと（内部統制の整備状況の評価），整備された内部統制が適切に運用されているか否かについてサンプルテストを行う（内部統制の運用状況の評価）。

取引・残高の実証においては，現物確認，帳簿残高の外部への確認，分析的実証手続，証憑突合等を行うことによって計算関係書類の利用者が判断を誤るほど重要な虚偽表示は計算関係書類に含まれていないことを確かめる。

上記の①内部統制の評価手続と②取引・残高の実証手続は密接に関係しあう。内部統制の評価手続を実施した結果，内部統制が適切に運用されていると判断できるなら，取引・残高の実証手続の範囲は狭くても計算関係書類に重要な虚偽表示が含まれているリスクを低く抑えることができる（監

■ 監査スケジュール概念図 ■

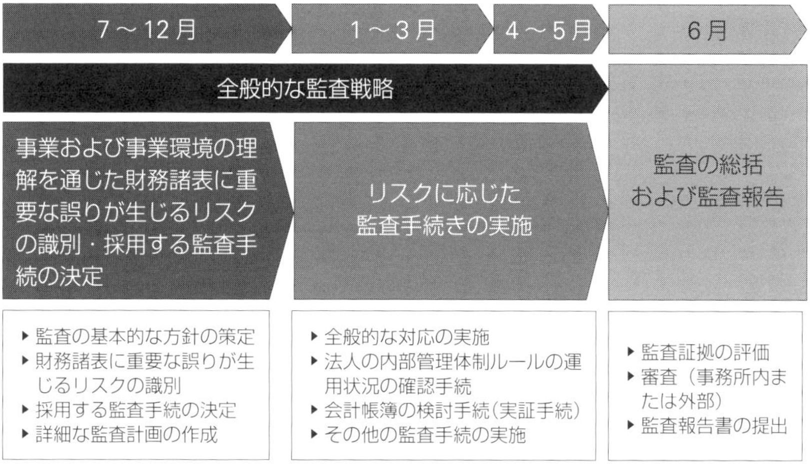

7～12月	1～3月	4～5月	6月
全般的な監査戦略			監査の総括および監査報告
事業および事業環境の理解を通じた財務諸表に重要な誤りが生じるリスクの識別・採用する監査手続の決定	リスクに応じた監査手続きの実施		
▸監査の基本的な方針の策定 ▸財務諸表に重要な誤りが生じるリスクの識別 ▸採用する監査手続の決定 ▸詳細な監査計画の作成	▸全般的な対応の実施 ▸法人の内部管理体制ルールの運用状況の確認手続 ▸会計帳簿の検討手続(実証手続) ▸その他の監査手続の実施		▸監査証拠の評価 ▸審査(事務所内または外部) ▸監査報告書の提出

出所:「公認会計士監査(会計監査人の監査)の概要」(http://www.hp.jicpa.or.jp/ippan/cpsa/information/files/syahuku_iryou_kansa_gaiyou1_ver2-0.pdf)より作成。

査日数の削減)。一方,内部統制の評価手続を実施した結果,内部統制が適切に整備・運用されていない場合には,取引・残高の実証手続の範囲を広め,より深度のある実証手続を実施しなければ計算関係書類に重要な虚偽表示が含まれるリスクを低く抑えることができない(監査日数の増加)。

会計監査人監査を円滑に進めるには,特に会計監査人監査の前提となる内部統制に関して可能なかぎりの整備・運用に努めることが望まれる。

会計監査人は監査の実施に先立ち詳細な監査計画を作成するが,監査の進行とともに適時に見直・改定を行い,監査業務の進行管理に役立て監査意見の表明に寄与するものでなければならない。

15 会計監査人の監査手法(2) 内部統制の評価

通常の会計監査人監査では試査を前提に監査手続を実施する。監査を効率的にするには内部統制が適切に整備された上で機能し計算関係書類等の作成が適正にされる環境にあることが必要である。

法人内に整備すべき財務会計に関する内部統制の項目は①全般の統制，②事業の統制，③決算の統制である。

■ 財務会計に関する内部統制の項目と会計監査人監査の関係 ■

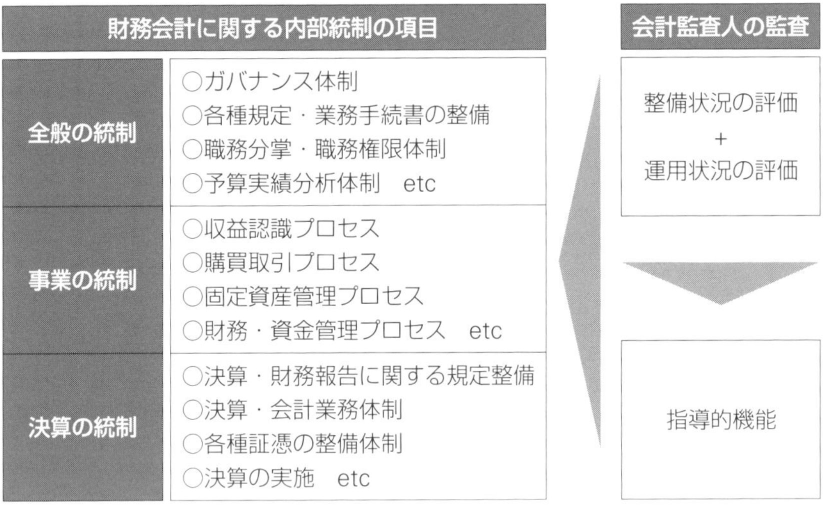

財務会計に関する内部統制の項目		会計監査人の監査
全般の統制	○ガバナンス体制 ○各種規定・業務手続書の整備 ○職務分掌・職務権限体制 ○予算実績分析体制　etc	整備状況の評価 ＋ 運用状況の評価
事業の統制	○収益認識プロセス ○購買取引プロセス ○固定資産管理プロセス ○財務・資金管理プロセス　etc	
決算の統制	○決算・財務報告に関する規定整備 ○決算・会計業務体制 ○各種証憑の整備体制 ○決算の実施　etc	指導的機能

全般の統制とは，法人全体に広く影響を及ぼすような内部統制のことをいい，事業の統制を有効に機能させるための前提となる。事業の統制とは，業務プロセス統制ともいい日常取引処理に対する内部統制のことである。決算の統制とは，業務プロセス統制の１つではあるが，外部公表資料の信頼性確保のために重要な役割を果たす。

会計監査人の監査においては，上記3つの内部統制の「整備状況」と「運用状況」を評価し，その評価結果を実証手続の範囲決定に活かす。

1. 内部統制の整備状況の評価

内部統制の整備状況の評価時点においては，全般の統制，日常取引処理に対する内部統制（事業の統制）および外部公表資料の信頼性確保のための内部統制（決算の統制）の整備状況を把握し，「不適切事例」の発生を防ぐ制度が確立しているか判断する。「不適切事例」の発生を防ぐ制度が確立している場合は 2. の運用状況の評価を実施する。もし確立していない場合は，監査計画を見直し実証手続のみで監査意見の表明ができるか判断し，意見表明が困難な場合は理事者と協議し監査の継続も含めて話し合う必要が生じる。

2. 内部統制の運用状況（有効性）の評価

計算関係書類等の適正な表示ができる内部統制が整備されていると判断した場合，会計監査人は日常取引が適切に処理されるために整備されている会計制度，相互牽制，入札制度，理事会等の運用等について実際にどのように運用されているかを視察，書類の閲覧（経理規定，会計書類，議事録，稟議書を含む），担当者への質問（書面も含む）により確認する。

事業の統制（業務プロセス統制）については，期間を通じて統制が有効に機能しているか否かの判断を行うために，主要統制手続に対して取引の全体からテスト対象とするサンプルを抽出して，サンプリングの手法を用いて対象統制手続に対してテストを行い評価する。

内部統制の不備が発見された場合，会計監査人は当該不備を総合的に判断し，重要な不備に該当する場合は，適時に書面にて監事に報告することになる。

会計監査人は独立性を保持した上で指導的機能を発揮し，内部統制の整備状況・運用状況の評価を通じて発見した事項を社会福祉法人にフィードバックすることで，法人経営の透明性の確保や，内部統制の向上に寄与することが社会的な期待として求められている。

16 会計監査人の監査手法(3) 取引・残高の実証

社会福祉法人の理事は，一般に公正妥当と認められる社会福祉法人会計の基準に準拠して計算関係書類等を作成し適正に表示することが求められる。当該計算関係書類等は毎会計年度終了後会計監査人の監査をうけた上で報告まで含めて3ヵ月以内に作成・承認を得ることが求められる（法45条の27第2項）。

■ 会計監査人が監査意見を表明する対象書類 ■

計算関係書類等	法人単位 第1様式
貸借対照表（第3号）	・法人単位貸借対照表
収支計算書 資金収支計算書（第1号） 事業活動計算書（第2号）	・法人単位資金収支計算書 ・法人単位事業活動計算書
計算書類に対する注記	・法人全体についての注記
附属明細書	・借入金明細表 ・寄付金収益明細書 ・基本金明細書 ・国庫補助金等特別積立金明細書
根拠	・法45条の27第2項 ・施規2条の30

＊第2様式，第3様式，第4様式の計算書類は会計監査の監査意見対象外。
出所：社会福祉法人制度改革の施行に向けた全国担当者説明会資料 10 社会福祉法人に対する指導監督の見直し（http://www.mhlw.go.jp/file/06-Seisakujouhou-12000000-Shakaiengokyoku-Shakai/0000153887.pdf）より作成。

会計監査人は，社会福祉法人が作成した計算関係書類等のうち，表内の書類について監査を実施し意見を表明する（施規2条の30）。意見を表明するに際し，会計監査人は十分かつ適切な監査証拠を入手しなければならず，①期末実証手続と②計算関係書類の表示の適正性を評価する手続を行う。

1. 年度監査における期末実証手続

年度監査においては，貸借対照表項目については実査，立会，確認や証憑突合，質問等の手続を実施することにより意見表明の根拠とする。事業活動計算書等のフロー項目においては期中の取引テスト，分析的実証手続等を組み合わせることにより，十分かつ適切な監査証拠を入手する。

期末監査を効率的かつ効果的に終わらせるには，会計監査人は十分に準備をする必要はあるが，社会福祉法人側としても準備および適切な監査対応が求められる。具体的には，計算関係書類等を作成するにあたり使用した紙帳票を1つにまとめた決算ファイルの作成，データについては勘定科目ごとに体系づけた上で整理するなど，決算のプロセスで作成する資料を見直す必要がある。監査対応のためのみならず経営管理上の観点からも，前期比較を行いその増減内容を把握しておく必要がある。

2. 計算関係書類の適正表示を評価する手続

会計監査は法人単位の計算関係書類等が適正に表示されていることに対して意見を表明するため，計算関係書類等の表示チェックを行う。通常の財務諸表監査と同じ監査の手法（決算書と精算表，試算表，総勘定元帳等との照合，期首残高の前期決算書との照合，前年度表示金額の前期計算書類等との照合）のほか，予算書との照合，各計算関係書類等との整合性確認が必要である。会計監査人監査は法人単位の計算関係書類等に限って意見を表明するが，それらの情報は，拠点区分の財務情報を元に集計されるため，それらとの整合性もチェックする必要がある。

社会福祉法人の計算関係書類等の開示は種類も多く詳細であるため，その相互チェックに多大な作業が必要となることが想定される。

そのため社会福祉法人側で財務諸表の作成過程で容易に照合できる仕組みを確立させておくことが，会計監査人監査導入時には必要となる。

17 会計監査人の監査手法(4)
監査報告

会計監査人は監査の結果として，独立した立場で計算関係書類等が適正に表示されているか否かについて意見表明を行う。会計監査報告の内容について，会計監査人は，計算関係書類を受領したときは次に掲げる事項を内容とする監査報告書を作成しなければならない（施規2条の30）。

一　会計監査人の監査の方法およびその内容

二　計算関係書類が当該社会福祉法人の財産，収支および純資産の増減の状況をすべての重要な点において適正に表示しているかどうかの意見

三　前号の意見がないときは，その旨およびその理由

四　追記情報

五　会計監査報告を作成した日

また，会計監査人は財産目録（法人単位貸借対照表に対応する項目に限る）を監査する。そのため，監査報告書に財産目録の監査結果を合わせて記載しなければならない（法45条の19第2項，施規2条の22）。

監査報告書は，審査を経たのち交付されることになる。

■ 無限定適正意見の監査報告書例 ■

独立監査人の監査報告書

平成×年×月×日

社会福祉法人　○○○○
理事長　　○○　○○殿

○○○○公認会計士事務所
公認会計士　○○○○　印
○○○○公認会計士事務所
公認会計士　○○○○　印

<計算関係書類監査>

私たちは，社会福祉法第45条の28第2項第1号及び社会福祉法施行規則第2条の30第1項の規定に基づき，社会福祉法人○○○○の平成×年4月1日から平成×年3月31日までの平成○○会計年度の計算関係書類（社会福祉法人会計基準第7条の2第1項第1号イに規定する法人単位貸借対照表，同項第2号イ（1）に規定する法人単位資金収支計算書及び同号ロ（1）に規定する法人単位事業活動計算書並びにそれらに対応する附属明細書（社会福祉法人会計基準第30条第1項第1号から第3号まで及び第6号並びに第7号に規定する書類に限る。）の項目並びに社会福祉法人会計基準第29条第1項に規定する法人全体についての計算書類に対する注

記をいう。以下同じ。）について監査を行った。

計算関係書類に対する理事者の責任

理事者の責任は，我が国において一般に公正妥当と認められる社会福祉法人会計の基準に準拠して計算関係書類を作成し適正に表示することにある。これには，不正又は誤謬による重要な虚偽表示のない計算関係書類を作成し適正に表示するために理事者が必要と判断した内部統制を整備及び運用することが含まれる。

監査人の責任

私たちの責任は，私たちが実施した監査に基づいて，独立の立場から計算関係書類に対する意見を表明することにある。私たちは，我が国において一般に公正妥当と認められる監査の基準に準拠して監査を行った。監査の基準は，私たちに計算関係書類に重要な虚偽表示がないかどうかについて合理的な保証を得るために，監査計画を策定し，これに基づき監査を実施することを求めている。

監査においては，計算関係書類の金額及び開示について監査証拠を入手するための手続が実施される。監査手続は，私たちの判断により，不正又は誤謬による計算関係書類の重要な虚偽表示のリスクの評価に基づいて選択及び適用される。計算関係書類監査の目的は，内部統制の有効性について意見表明するためのものではないが，私たちは，リスク評価の実施に際して，状況に応じた適切な監査手続を立案するために，計算関係書類の作成と適正な表示に関連する内部統制を検討する。また，監査には，理事者が採用した会計方針及びその適用方法並びに理事者によって行われた見積りの評価も含め全体としての計算関係書類の表示を検討することが含まれる。

私たちは，意見表明の基礎となる十分かつ適切な監査証拠を入手したと判断している。

監査意見

私たちは，上記の計算関係書類が，我が国において一般に公正妥当と認められる社会福祉法人会計の基準に準拠して，社会福祉法人○○○○の当該計算関係書類に係る期間の財産，収支及び純資産の増減の状況をすべての重要な点において適正に表示しているものと認める。

＜財産目録に対する意見＞

私たちは，社会福祉法第 45 条の 19 第 2 項及び社会福祉法施行規則第 2 条の 22 の規定に基づき，社会福祉法人○○○○の平成 × 年 3 月 31 日現在の平成○○会計年度の財産目録（社会福祉法人会計基準第 7 条の 2 第 1 項第 1 号イに規定する法人単位貸借対照表に対応する項目に限る。以下同じ。）について監査を行った。

財産目録に対する理事者の責任

理事者の責任は，財産目録を，我が国において一般に公正妥当と認められる社会福祉法人会計の基準に準拠するとともに，法人単位貸借対照表と整合して作成することにある。

監査人の責任

私たちの責任は，財産目録が，我が国において一般に公正妥当と認められる社会福祉法人会計の基準に準拠しており，法人単位貸借対照表と整合して作成されているかについて意見を表明することにある。

財産目録に対する監査意見

私たちは，上記の財産目録が，すべての重要な点において，我が国において一般に公正妥当と認められる社会福祉法人会計の基準に準拠しており，法人単位貸借対照表と整合して作成されているものと認める。

利害関係

社会福祉法人○○○○と私たちとの間には，公認会計士法の規定により記載すべき利害関係はない。

以上

出所：日本公認会計士協会「非営利法人委員会実務指針第 40 号「社会福祉法人の計算書類に関する監査上の取扱い及び監査報告書の文例」」より作成。

18 行政による指導監査

1. 法人に対する認可および監査

社会福祉法人は監督官庁（所轄庁）監督下にあり，社会福祉事業の実施主体としてふさわしいかどうかについて審査の上，設立が認められる仕組みとなっている。設立後については適正な運営と円滑な社会福祉事業の経営の確保を図るため，所轄庁は法人本部およびその施設に対して監査（以下，「指導監査」という）を実施して，法令等の遵守状況を確認している（法56条）。

「社会福祉法人指導監査要綱の制定について（別紙）」によれば，法人監査は一般監査と特別監査に分けられる。

一般監査は一定の周期で実施され所轄庁が実施計画を策定した上で「指導監査ガイドライン」に基づき実施される。

特別監査とは，運営等に重大な問題を有する法人を主な対象として随時実施され，「指導監査ガイドライン」に基づいて行われるほか，当該問題の原因を把握するために，必要に応じて詳細な確認が行われる。

2. 一般監査の実施の周期および指導事項の省略等

社会福祉法人は，毎年度所轄庁に対し報告書類により法人の運営状況を報告するが，前回の指導監査の状況を勘案し，以下の事項を満たす法人に対する一般監査の実施の周期は，3ヵ年に1回とされている（実施要綱3(1)）。

ア　法人の運営について，法令および通知等（法人に係るものに限る）に照らし，特に大きな問題が認められないこと。

イ　法人が経営する施設および法人の行う事業について，施設基準，運営費ならびに報酬の請求等に関する大きな問題が特に認められないこと。

また，上記の事項を満たしかつ一定の要件を満たす法人については，指導監査の周期が延長された上，指導事項の省略が認められる。

- 会計監査人設置法人および会計監査人非設置法人であるが，法45条の19の規定による会計監査人による監査に準ずる監査が実施されている法人で，会計監査報告書に「無限定適正意見」または「除外事項を付した限定付き適正意見（除外事項について改善されたことができる場合に限る）が記載されている場合，指導監査が5ヵ年に1回になるとともに「指導監査ガイドライン」のⅢ「管理」の3「会計管理」に関する監査事項が省略される（実施要綱4(1)）。
- 公認会計士，監査法人，税理士または税理士法人（以下「専門家」）による財務会計に関する内部統制の向上に対する支援または財務会計に関する事務処理体制の向上に対する支援を受けた法人において，専門家が当該支援を踏まえて作成する書類として別に定めるものが提出され，会計管理に関する事務処理の適正性が確保されていると所轄庁が判断する場合は，指導監査が4ヵ年に1回になるとともに「指導監査ガイドライン」のⅢ「管理」の3「会計管理」に関する監査事項が省略される（実施要綱4(2)）。
- 上記以外の法人においても，苦情解決への取組が適切に行われ，地域のさまざまな福祉需要に対応した先駆的な社会貢献活動に取り組んでいるなど一定の条件を満たしている場合においては，4ヵ年に1回と周期の延長が認められる（実施要綱3(3)）。

いずれの社会福祉法人においても，指導監査に先立ち「指導監査ガイドライン」で示された監査事項に対する対応策を決め，問題点があれば事前にリスト・アップし，法人としての認識と対応策を決めておくことが望ましい〔社会福祉法人指導監査実施要綱の制定について（別紙）指導監査ガイドライン〕。

19 指導監査制度の活用

所轄庁が実施する指導監査はその行政的な強制力も含めて考えると，社会福祉法人にとって現状，最も機能しているモニタリングであるともいえる。

また指導監査の結果は広くWeb上に掲載し利害関係者が容易に閲覧できるように環境が整ってきている。実例として長野県のインターネットのホームページより「社会福祉施設等に対する指導監査の概要」で2015年度と2016年度で指摘された事項は下記のとおりである。

■ 一般指導監査の主な指摘事項 ■

文章指摘事項　　【実施数：64法人】【実施数：81法人】

指摘事項	平成26年度		平成27年度	
	件数	割合(%)	件数	割合(%)
理事会・評議員会の運営が不適切	37	27.0%	57	28.8%
経理事務処理等が不適正	35	25.5%	67	33.8%
登記事項の未登記又は登記の遅延	22	16.1%	20	10.1%
役員等の構成又は選任手続き等が不適切	21	15.3%	28	14.1%
定款の不備又は変更手続き等が不適切	10	7.3%	7	3.5%
役員報酬等の支給が不適正	6	4.4%	6	3.0%
施設長任免が不適切	4	2.9%	7	3.5%
その他	2	1.5%	6	3.0%
計	137	100.0%	198	100.0%

出所：長野県健康福祉部地域福祉課福祉監査担当「社会福祉施設等に対する指導監査の概要」（平成26・27年）より作成。

２年度を通じて多く指摘されている事例として以下があげられている。

① 理事会・評議員会の適正な運営

② 補正予算の適時適切な作成

③ 会計事務の適正な執行

④ 役員報酬の適正な支給

⑤ 変更登記の期限の順守

社会福祉法人指導監査は毎年実施されるのではなく所轄庁の側で実施のタイミングが決定されるため社会福祉法人側が積極的に活用するためには，空白の年度をどのように独自にモニタリングするか決定する必要がある。

その方法としては社会福祉法人内部で指導監査対応のプロジェクト・チームを立ち上げ必要に応じて監事と連携し，また外部の専門家の活用も視野に入れて，自主的に指導監査対応の監査資料を作成し，内部監査の機能として法人組織等の事業遂行と運用をチェックする。これにより内部統制の運用状況に対する強力なモニタリング機能と指導監査対策を同時に実施できることが期待される。

なお指導監査対応作業は毎年行うことが重要であり，特に指導監査がある年にはそれまでのプロジェクト・チームの成果が問われるとの気概をもって対応し，よりよい統制・管理を学ぶ絶好の実践教育（OJT）の機会と捉えることが必要である。

なお他の法人・施設が受けた指摘事項，改善命令事項について該当事項が，それぞれの法人にないかを確認し，あれば早急に改善する仕組みを整備しておくことは大変重要である。

最大限に指導監査を活用するには指導監査を超えるレベルの法人運営，業務管理のレベルを目指し，指摘事項があれば積極的に改善すべき課題が発見できたと捉え，よりよい解決策を法人側で策定，実行，結果の確認，さらなる改善行動へとつなげることを目指すことが望ましい。

第３章

要約

第３章では，社会福祉法人の内部統制と監査について整理した。

社会福祉法人が健全な経営と業務運営を継続するのに特に重要な役割を果たす仕組みが内部統制と監査である。毎年事業年度末に１年間の成果を事業報告，計算書類として所轄官庁に提出するとともにインターネットを利用して広く一般に公開する制度が始まっている。これらの情報公開制度で法人の内容をよりよく理解してもらうためには内部統制と監査が健全な形で定着する必要がある。なお次章で検討する経営指標と分析の手法は事業報告や決算書の信頼性を保ち説明内容をより理解しやすくする決め手となる。

第4章　社会福祉法人の経営指標と分析

概要

第４章では，社会福祉法人の経営指標の概要とそれらの具体的な利用について，日本公認会計士協会から公表された「社会福祉法人の経営指標─経営状況の分析とガバナンス改善に向けて」（非営利法人委員会研究報告第27号，平成26年７月24日）を参考に解説する。社会福祉法人の財務諸表に対する会計監査が法定化された環境下において，経営指標の導出とその利用は社会福祉法人の経営にとっていっそう重要なテーマとなるものと想定されるので，経営指標の本質を理解し，日常業務に有効に活用するポイントを解説する。

1 社会福祉法人とガバナンス

1. 社会福祉法人のガバナンスとは

■ 社会福祉法人におけるガバナンス ■

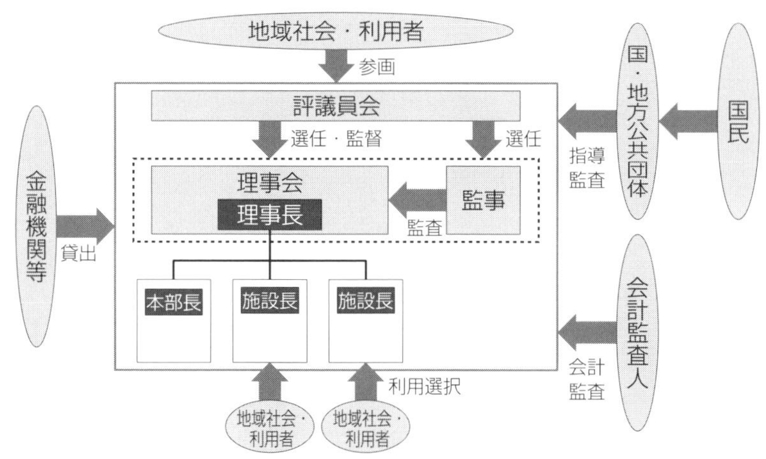

出所：日本公認会計士協会「非営利法人委員会研究報告第27号「社会福祉法人の経営指標―経営状況の分析とガバナンス改善に向けて―」」図1をもとに作成。

社会福祉法人には，地域社会，利用者，その施設等で働く職員，政府，国民，および資金を提供する金融機関等の多くの利害関係者が存在し，法人の経営状況を理解し，把握する必要が生じる。これらの利害関係者は，社会福祉法人が利用者および地域社会の福祉ニーズに応え，法規制を遵守し，福祉活動における安全衛生を維持し，職員に労務費を支払い，法人の適正な財務状況が確保され，長期的に社会福祉サービスが提供されることを期待している。これらの利害関係者の期待に応えるために，適正な法人運営を確保することによって，社会からの役割期待に応えるための統治の仕組みであるガバナンスを構築する必要が生じる。

2. ガバナンスの強化と機関の見直し

社会福祉法においては，法人制度について事業運営の透明性の向上等を進めるために経営組織のガバナンスが強化されている。議決機関としての評議員会を必置とし，一定規模以上の法人への会計監査人の導入をはかった（法37条）。機関の設置として，社会福祉法人は，評議員，評議員会，理事，理事会および監事を置かなければならないとした（法36条第1項）。

社会福祉法人が適正に業務執行されているかどうかにつき，まず責任を負うのは，理事および理事によって構成される理事会である（法45条の13）。理事は定款によって制限を受けないかぎり，法人を代表して業務の執行を行い，理事で構成される理事会では，重要な業務についての意思決定を行う。理事の長として理事長が社会福祉法人の業務に関する権限を有し（法45条の17），業務を行う。また理事の業務執行状況と法人財産の状況を監査する監事（法45条の18），理事と監事の選任・解任や役員報酬の決定など重要事項を決定する評議員会（法43条）が社会福祉法人の機関となる。

3. 社会福祉法人の特徴

社会福祉法人には，出資持分という考え方はなく，所有する資産の分配をする必要はない。仮に法人が解散した場合においても，会社の残った財産は他の社会福祉法人か国庫に帰属することになるという非営利性といった特徴がある。また通常はサービスを受けるものがそのコストを負担するが，コストの負担は国庫や地方公共団体となる。さらに法人の経営者と利用者および地域社会等の利害関係者の間には，法人運営について保有している情報の質，量に大きな格差があることから，利害関係者が積極的に法人経営に参加する必要がある。

2 社会福祉法人の経営評価

■ 情報の内部利用と外部利用 ■

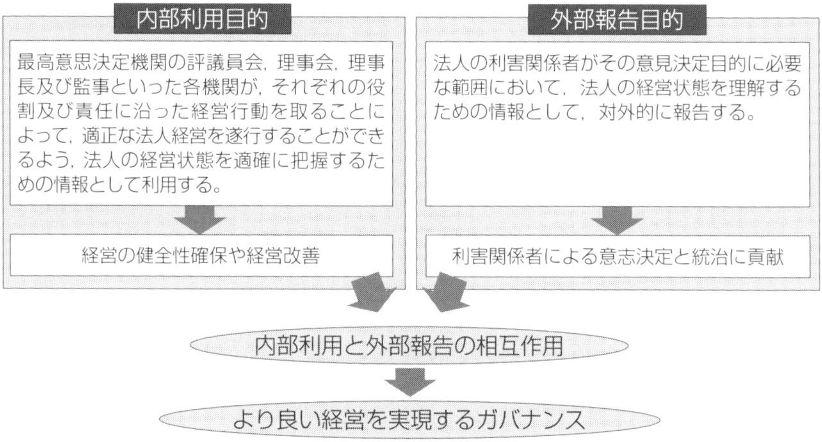

内部利用目的	外部報告目的
最高意思決定機関の評議員会，理事会，理事長及び監事といった各機関が，それぞれの役割及び責任に沿った経営行動を取ることによって，適正な法人経営を遂行することができるよう，法人の経営状態を適確に把握するための情報として利用する。	法人の利害関係者がその意見決定目的に必要な範囲において，法人の経営状態を理解するための情報として，対外的に報告する。
↓	↓
経営の健全性確保や経営改善	利害関係者による意志決定と統治に貢献

↓

内部利用と外部報告の相互作用

↓

より良い経営を実現するガバナンス

出所：日本公認会計士協会「非営利法人委員会研究報告第 27 号「社会福祉法人の経営指標―経営状況の分析とガバナンス改善に向けて―」」図 2 をもとに作成。

1. 経営指標の目的

社会福祉法人の各機関が，それぞれの役割を果たし，経営活動を実践するためには，法人の経営状態を正しく把握する必要が生じる。評議員会，評議員，理事会，理事長，監事や法人の職員が法人全体の経営状況や各施設の経営状況を把握するための情報として，経営指標を利用する内部利用目的と，国や地方公共団体の監督者，評議員会，地域社会や施設の利用者が法人の経営状態を理解するための情報として経営指標を利用する外部利用目的がある。経営指標が開示されることによって，内部の関係者は直近の経営指標とその時系列的な状況を把握し，他の社会福祉法人との比較を行うことで，法人の現在の経営状況を的確に把握し，今後の改善のための施策を講じることが可能になる。

2. 内部目的と外部目的の相互作用

法人内部の理事会等の機関が，法人の経営状況を把握し，新たな投資を行う等の経営判断に利用する際の情報と，法人外部の国，地方公共団体が監督目的等で法人の経営状況を理解する際に利用する情報は一致していることが望ましい。理事会は，経営指標を意識した意思決定を行い，外部の利害関係者から当該指標による指摘を受け，これを経営に活用することで，経営の質が向上することが期待される。特に経営や財務の専門家ではない施設の利用者が経営指標を直接活用し，法人に対して直接的な働きかけをすることは現実的には困難であるため，評議員や所轄庁の果たす役割が重要になる。評議員には地域社会や福祉サービスの利用者が選任され，重要事項の決定等の意思決定を行う場面で経営指標を有効活用することが想定される。所轄庁では法人の監督を行う際に経営指標を活用することにより，経営状況が悪化した法人を特定し，経営状況を分析する際の有効な指標となる。

3. 経営評価とは？

経営評価とは，行政評価条例による外郭団体の評価等，法人の組織としてのあり方（存在意義および存続性），組織運営の状況，事業の実績および財務内容を総合的に評価することをいう。経営指標による評価では，法人の経営指標を導出しその推移を時系列で分析することで，情報の利用者が理解しやすいランク付けも可能になる。例えば，法人の経営指標から財務内容の評価を以下の4ランクに分類すると，利用者が容易に法人の状況を理解できる。

A：現在財務内容が良好であり，当面は良好な状況が継続する法人

B：直ちに経営に影響を与えないが，将来に向けた検討を要する法人

C：収支不足の状態が継続しており，何らかの検討が必要な法人

D：経営に重大な影響を及ぼす課題があり，直ちに対策が必要な法人

3 経営指標の意義

1. 経営指標の意義と特徴

経営指標とは，経営の状況を数値等で客観的に捉えるための指標をいい，数値等で法人の状況を客観的に把握できるという意義がある。一方で経営指標そのものが経営の評価結果を表すものではなく，単独の経営指標では法人全体の状況を理解することができないが，法人の財務的な側面では，経営指標による評価が容易である。

経営指標は，貸借対照表，事業活動計算書，資金収支計算書の財務諸表の数値と施設の平均利用者数，総職員数と平均勤続年数，定員数といった非財務数値から導出される。

2. 経営指標算定の留意点

■ 経営指標算定の留意点 ■

①実数の分析

・貸借対照表，事業活動計算書，資金収支計算書の当期の実数を，過年度数値，予算数値と比較する。

②比率の分析

・貸借対照表，事業活動計算書，資金収支計算書の同一の財務諸表での比率及び異なる財務諸表間での比率を用いた経営指標を導出する。

③単位当たり数値の分析

・経営指標を過年度との比較，他の法人との比較，施設間での比較に相対的に活用する。
・基準値との比較により，経営状況を分析する。

経営指標を導出する際には，3つの留意すべき事項がある。1つ目は財務諸表の実数をそのまま利用する実数比較分析である。これは，例えば貸借対照表の科目について，当年度決算数値を前年度決算数値と比較し，科目の増減を把握することを意味する。流動資産，固定資産，流動負債，固定負債，純資産といった大きな区分で増減を把握し，その後各科目の増減内容を把握するようにすれば，財務内容の変化の原因を把握することができる。実数比較分析は単純な方法であるものの，法人の実態を容易に把握することができる。

2つ目は関連する比率の算定である。これは，貸借対照表の項目の相互関係や事業活動計算書の中での相互関係の他，貸借対照表と事業活動計算書の相互の関係を表す。例えば，貸借対照表の中で，流動資産と流動負債の金額を比較して，1年以内に現金として受け取る金額と現金を支払わなければならない金額の比率を算定することで，法人の短期間の資金が安定しているかどうかを把握することができる（流動比率）。また事業活動計算書の中で，サービス活動収益に対する人件費の金額の比率を算定することで，サービス活動が十分提供され，法人が合理性に人材を雇用しているかどうかを把握することが可能になる（人件費比率）。

3つ目は単位当たりの数値についての算定である。例えば，社会福祉事業が適正な施設の運営を行っているかどうかを把握するためには，平均利用者1人当たりのサービス活動費用を算定し，適切な福祉サービスが提供されているかどうかを把握することが可能になる（利用者1人当たりサービス活用費用）。

4 社会福祉法人の特性と経営分析の視点

1. 社会福祉法人の特性

社会福祉法人は，公益法人から発展した特別法人であるため，本来的に公益性，公共性が求められており，所轄庁から厳格な規制，監督をうけるが，税制上の優遇や補助金等の公的な財政的支援措置が講じられている。また，出資持分は存在せず，事業によって生み出された経済的資源の分配を行うこともできない。さらに社会福祉法人は地域福祉の基盤であり，経営状態が悪化した場合であっても，安易に撤退することはできず，事業の継続性が特に要求される。従来の社会福祉法人は施設を中心とした経営が実施されてきたが，効率的な経営，経営基盤の確立および機能性の向上にむけて最近は法人単位での経営の重要性が高まっている。

以上のような特性から，社会福祉法人の財務構造について，介護報酬や保育園運営収入等の収益面では価格水準が制度によって決定されており，法人に価格裁量権がない。費用面では各種の事業が労働集約的であり，人件費の負担が高い傾向にある。また多くの設備を保有しているため，減価償却費が多く将来的な設備の更新のため，資金を計画的に積み立てていく必要がある。

2. 経営分析の視点

社会福祉法人の経営状態を理解し，評価する際の分析の5つの視点は，次表に記載のとおりである。

① 組織統治は法人のガバナンスを確保するための視点であり，②～⑤が存在するための基盤となる

② 経営状態については，サービス活動を通じて収益を獲得することができるかどうかを表す収益性，継続して安定的な経営を実現することができるかどうかを表す安定性（持続性），社会福祉法人の目的を達成

する上で必要な支出が行われ，また資産が保有されているかを表す合理性および経営資源を有効活用した効率的な経営がなされているかどうかを表す効率性の４つの視点がある

③　経営自立性については，経営が自主財源によってどの程度経営できる状態になっているかの視点を意味し，補助金への依存度が高い場合には，経営自立性は低くなる

④　公益性の発揮は社会福祉法人に求められている不特定多数の利益のために経営されているかどうかの視点を意味する

⑤　運営の適正性については，法人が法令を遵守し，社会から期待される役割を理解した上で，適正に運営されているかどうかの視点を意味する

経営分析は，②，③の財務的な側面を中心に経営指標を定量的指標とし，それ以外の視点は，定性的情報として利用されることになる。

■ 経営分析の視点 ■

①組織統治

・法人組織が適正に運営されるための体制の構築

②経営状態

・法人の財務的な経営状態はどのような状況か。
・収益性，安定性（持続性），合理性，効率性から判断される。

③経営自立性

・自主財源によってどの程度経営できるか。

④公益性の発揮

・不特定多数の利益のための経営

⑤運営の適正性

・法令の遵守，社会的な役割の理解と適切な運営

5 経営指標としての基本情報

1. 経営指標の意義と限界

経営指標は，法人の経営状況の個別的な側面を数値等によって客観的に表すものである。指標には財務数値，比率といった定量的情報に基づき，法人の状況を客観的に把握することができる意義がある。

一方で，指標はそれ自体が評価結果を表すものではなく，単独の指標のみによって法人全体の状況を理解することはできない。経営指標が社会福祉法人を取り巻く多くの利害関係者の意思決定に貢献するためには，法人の財務的な経営状態である収益性，安定性（持続性），合理性および効率性の観点から，各指標の意味の理解と評価が必要になる。

2. 基本情報の意義

分　類	基本情報	法人	施設	摘　要
事業活動計算書	経常収益	○	○	サービス活動収益計＋ サービス活動外収益計
	経常費用	○	○	サービス活動費用計＋ サービス活動外費用計
	段階別活動増減差額	○	○	経常増減差額 当期活動増減差額
貸借対照表	基本財産	○	○	
	総資産	○		
資金収支計算書	事業活動資金収支差額	○	○	
	当期末支払資金残高	○	○	
非財務	平均利用者数	○	○	事業報告書等から入手
	総職員数	○	○	
	定員数		○	
	平均勤続年数		○	

出所：日本公認会計士協会「非営利法人委員会報告第27号「社会福祉法人の経営指標―経営状況の分析とガバナンス改善に向けて―」」を参考に作成。

社会福祉法人の経営指標は，基本情報，法人指標，施設指標から構成される。基本情報は法人の規模や収益および費用の状況等，社会福祉法人の全体像を理解する上で必要な情報である。基本情報は財務諸表の実数や事業報告書，社会福祉法人の現況報告書の記載から入手することができる。

基本情報を複数年度入手し，時系列での推移を把握すれば，社会福祉法人のおかれている概要を理解することができる。

3. 経営指標に求められる特性

社会福祉法人の経営指標が，利用者にとって有用になるための特性としては，下記の6点をあげることができる〔社会福祉法人の経営指標―経営状況の分析とガバナンス改善に向けて―〕。

① 適合性：社会福祉法人の事業の特性を反映し，法人内外の利害関係者のニーズに関連したものである

② 客観性：法人の経営状態を客観的かつ中立的に表すものである

③ 一貫性：継続して一貫した経営指標の測定，評価が可能である

④ 比較可能性：異なる法人間の比較に資するものである

⑤ 容易性：経営指標の導出に複雑な計算を必要とせず，入手可能な情報から容易に算定できるものである

⑥ 理解可能性：経営指標の意図が明らかになっており，情報利用者が簡単に理解できるものである

社会福祉法人が所轄庁に提出し，ホームページ等で開示している現況報告書や財務諸表から，各種の経営指標を導出することが可能になる。

6 収益性を表す法人指標

1. 収益性を表す経常増減差額

■ 経常増減差額率のイメージ ■

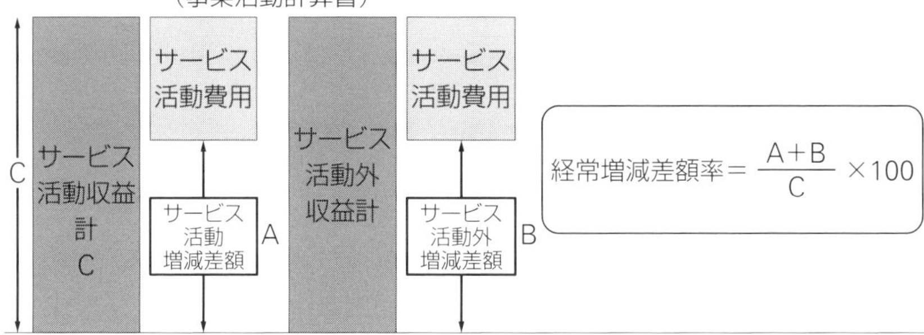

社会福祉法人の財務的な経営状態のうち，収益性は事業活動を通じて，事業収益を獲得できるかどうかを表す指標である。事業の継続性・自立性を確保し，質の高い福祉サービスを提供するためにも，継続的な収益獲得能力は重要になる。法人の収益性を表す指標として，経常増減差額率がある。これは，事業活動計算書のサービス活動収益計に対する経常増減差額（サービス活動増減差額とサービス活動外増減差額の合計）の割合であり，株式会社の経常利益（損失）率に相当する指標である。本指標は，法人の収益性を理解する上での基本的な指標であり，特にマイナスになる場合には，将来的な財務状況の悪化につながることにより，法人経営の安定性を損なう場合があり，赤字の要因を，収益・費用面から分析する必要がある。

要因の分析の方法として，収益面では入所率の状況を注視するとともに，制度改定があった場合における単価の改定が及ぼす収益性の変化を観察する必要がある。費用面では，人件費比率や事業費比率等の費用の合理性に関する各指標を検討する必要がある。

2. 職員1人当たりのサービス活動収益

事業活動報告書のサービス活動収益計を総職員数で除した数値は，職員1人当たりのサービス活動収益を表す。この指標は，職員1人当たりどの程度の事業収益を得ているかを示し，収益獲得の効率性に関する指標である。この指標が同業種の他の法人の平均値より小さい場合には，職員数や人数配置に課題を抱えていることも考えられる。また人件費比率の推移とあわせて，職員1人当たり人件費と対比することが，収益性変化への影響を理解する際に有効な指標となり得る。なお，事業ごとに従事する職員数が区分できる場合には，各事業別に本指標を算出することも有用である。

3. 経常増減差額率の推移と留意点

経常増減差額率が下記のように推移しているX社会福祉法人の財務状況は，どのように考えられるか，例を示してみる。

事業活動計算書	X1年	X2年	X3年	X4年	X5年
サービス活動収益計①	1,000	1,020	1,030	1,040	1,050
サービス活動費用計	920	950	980	1,010	1,040
サービス活動増減差額②	80	70	50	30	10
サービス活動外収益計	200	210	210	230	250
サービス活動外費用計	180	180	170	160	150
サービス活動外増減差額③	20	30	40	70	100
経常増減差額（②＋③）	100	100	90	100	110
経常増減差額率（(②＋③)÷①）	10.0%	9.8%	8.7%	9.6%	10.5%

経常増減差額率はX3年までは下落しているものの，X5年にかけては上昇に転じている。これは各年度のサービス活動増減差額は悪化したものの，サービス活動外増減差額が改善したことによるものである。これに加えてサービス活動収益，費用の内訳項目を精査し，主要な変動の要因を分析することが望ましい。

7 安定性を表す法人指標

1. 短期の安定性を表す流動比率

■ 流動比率のイメージ ■

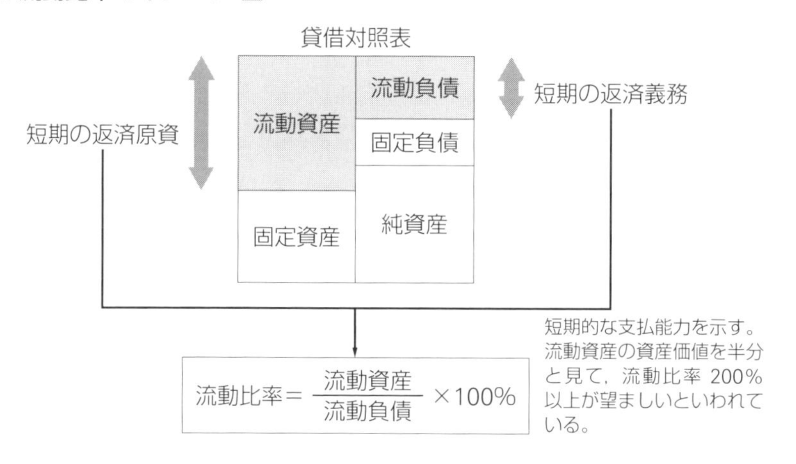

社会福祉法人の財務状況のうち，安定性（持続性）は継続して安定的な経営を実現することができるかどうかを表す指標である。社会福祉法人の経営においては，長期持続的な施設経営が可能であることが強く求められ，その意味において安定性（持続性）は重要な要件である。安定性（持続性）は，短期安定性，長期安定性，資金繰りの側面から構成される。

短期安定性の指標としては，流動比率をあげることができる。流動比率は，貸借対照表の流動負債に対する流動資産の割合を表す。流動負債は短期的な支払義務を表し，流動資産は短期に資金化できる支払手段を表す。本指標は，短期支払義務に対する支払能力を示す指標であり，その値が高いほど，短期的な支払能力が高いことを表す。流動資産には，直ちに支払手段として用いることができない資産が含まれるため，短期的な支払能力を判定する観点から，一般に200%以上であることが望ましいと考えられる。流動比率が100%を下回るときは，短期支払義務に対する支払能力が不足しており，短期安定性を欠いていることが想定される。

2. 当座比率

流動比率をみる上では，流動資産の構成内容に留意する必要があり，流動負債に対する現金預金の割合を表す当座比率を併用して分析することが望まれる。当座比率は，流動負債に対する現金預金の割合を表す指標であり，本指標の値が高いほど，短期的な支払い能力が高いことを意味する。短期的な支払能力を判定する観点からは，一般に100%以上であることが望ましいと考えられる。

3. 現金預金対事業活動支出比率

現金預金残高が事業活動を行う上で十分かどうかを判定するための指標としては，月次平均の事業活動支出に対する現金預金残高を表す現金預金対事業活動支出比率が考えられる。月次平均の事業活動支出は，資金収支計算書の事業活動支出計を12で除して算定する。この指標は，預金残高が月次平均の事業活動支出の何ヵ月分に相当するかを示す指標であり，本指標の値が大きいほど手元資金残高に余裕があることを意味する。

流動比率，当座比率は短期支払義務に対する支払能力を示すが，事業活動支出に対する支払能力は示されないため，資金繰りの観点から当該指標を補完的に利用することが望ましく，賞与の支払，設備資金借入金の返済等の不定期な支払があるときの資金繰りも考慮すると，3ヵ月程度が望ましいと考えられる。

4. 長期の安定性を表す純資産比率

■ 純資産比率のイメージ ■

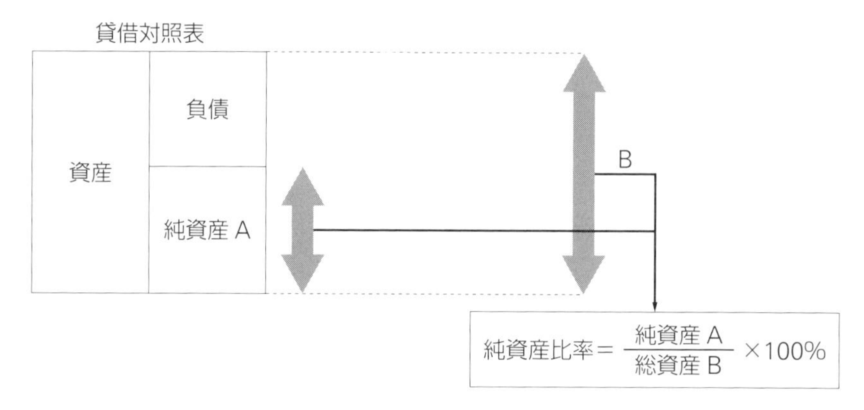

長期安定性の指標としての純資産比率は，貸借対照表の総資産に占める純資産の割合を表す。純資産比率は，借入金など負債に対する安全性をみる指標であり，本指標の値が高いほど，負債の支払い負担が小さく，長期持続性が高いことを意味する。短期的には安定性，長期的には持続性として表されることもある。

長期にわたり収益性が悪化している法人や施設整備等に関して借入金依存度が高い法人は，本指標の値が低くなり，その値が高い法人と比べて長期持続性の観点で課題を抱えている可能性がある。

基本財産となる固定資産の取得の際に受領した補助金は，純資産の部の国庫補助金等特別積立金に計上されるため，本指標の数値が高くなる場合があるので，当該影響を除いて純資産比率を算定する場合がある。

5. 固定長期適合率と固定比率

■ 固定長期適合率，固定比率のイメージ ■

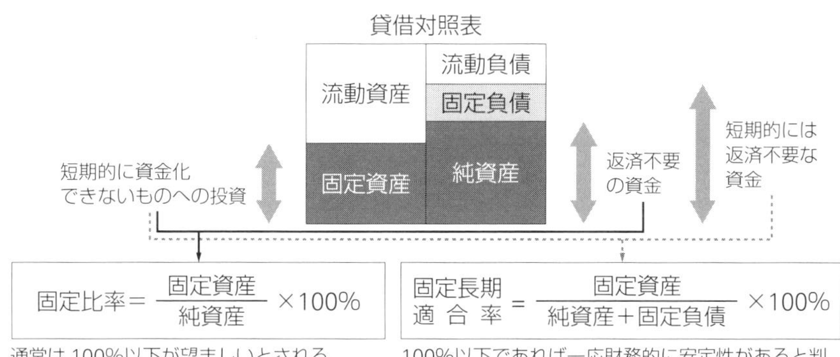

通常は100%以下が望ましいとされる。

100%以下であれば一応財務的に安定性があると判断できる。

長期安定性の指標としての固定長期適合率は，貸借対照表の純資産および固定負債に占める固定資産の割合を表し，固定比率は純資産に占める固定資産の割合を表す。これらは，固定資産の整備にかかわる資金調達のバランスを示す指標であり，本指標の値が低いほど，長期持続性が高いことを意味する。

社会福祉法人は原則として事業の実施に必要な土地，建物は自己所有が求められる。土地に投下された資金はその回収が予定されるものではないため，返済不要な資金によって賄われることが望ましく，建物その他の設備は減価償却を通じて資金留保されるため，更新資金の確保には長期間を要する。このため，土地建物等に要する資金は寄附金，補助金，積立金等の返済不要な資金によって確保するか，返済するとしても，設備資金借入金のように長期にわたって返済することが望ましい。

8 資金繰りを表す法人指標

■ 資金繰りを表す法人指標 ■

$$\text{借入金償還余裕率} = \frac{\text{借入金元利払額（資金収支計算書）}}{\text{事業活動資金収支差額（資金収支計算書）}}$$

借入金償還余裕率は元利金返済の負担の大きさを示す指標である。

$$\text{債務償還年数} = \frac{\text{借入金残高合計（貸借対照表）}}{\text{事業活動資金収支差額（資金収支計算書）}}$$

債務償還年数は借入金の償還能力を表す指標である。

$$\text{事業活動資金収支差額率} = \frac{\text{事業活動資金収支差額（資金収支計算書）}}{\text{事業活動収入計（資金収支計算書）}}$$

事業活動資金収支差額率は資金の獲得能力を表す指標である。

1. 借入金償還余裕率

資金繰りの指標としての借入金償還余裕率は，資金収支計算書の事業活動資金収支差額に対する借入償還額および利子支払額の割合を表す指標である。この指標は，法人にとっての元利金返済の負担の大きさを表す指標であり，事業活動によって生み出す資金から，元利金返済額を賄えているかどうか，安定的に資金繰りが行われているかどうかの参考となる。

本指標の値が100％を上回る場合，事業活動による獲得資金で元利払いが賄えていないことを示し，財務安定性の観点から問題が生じている可能性があり，当該状況が一時的なものなのか，恒常的な要因によるものかを調査検討する必要がある。

2. 債務償還年数

債務償還年数は，資金収支計算書の事業活動資金収支差額に対する期末の借入金残高の割合を表す指標であり，返済可能期間ともいわれる。この指標は，当期の資金収支差額を基準とした場合に法人の借入金残高を事業活動資金収支差額で完済するための概ねの期間を示すものであり，借入金の償還能力を表す。年数が短いほど，償還能力が高いといえる。

本指標は，企業の財務分野で，銀行が法人の財務力をみる上で重視する指標であり，例えば初期の資金を多額の借入金で調達する不動産賃貸業では，10年～20年が一般的であるといわれている。この値が主要設備の耐用年数に比して著しく大きい場合などには，借入金残高と資金収支の妥当性を検討する必要がある。

3. 事業活動資金収支差額率

事業活動資金収支差額率は，当年度の事業活動による資金収入と資金支出のバランスを示す指標であり，資金の獲得能力を表す。事業活動資金収支差額は，借入金の返済および将来の設備投資のための資金となるため，当該指標はプラスであることが必要であり，仮にマイナスとなる場合には，期末支払資金残高を取り崩さざるを得なくなる。当該指標が継続してマイナスになっている場合には，常に事業活動収入で事業活動支出を賄えない状態になっているため，事業の継続性が危ぶまれる事態と考えられる。

当期末の支払資金残高を事業活動資金収支額の赤字残高で割った数値（年数）は，現在の資金があと何年で枯渇するかを表すことになり，資金収支に改善がみられない場合の事業継続可能年数を表すことになり，法人の経営に警鐘を鳴らす指標となる。

9 合理性を表す法人指標

■ 費用の合理性を表す法人指標 ■

$$\text{人件費比率} = \frac{\text{人件費（事業活動計算書）}}{\text{サービス活動収益計（事業活動計算書）}}$$

人件費比率はサービス活動収益計と人件費の割合を示す指標である。

$$\text{事業費比率} = \frac{\text{事業費（事業活動計算書）}}{\text{サービス活動収益計（事業活動計算書）}}$$

事業費比率はサービス活動収益計と人件費の割合を示す指標である。

$$\text{事務費比率} = \frac{\text{事務費（事業活動計算書）}}{\text{サービス活動収益計（事業活動計算書）}}$$

事務費比率はサービス活動収益計と人件費の割合を示す指標である。

1. 合理性の指標と人件費比率

費用の合理性を表す指標は，サービス活動収益計に対する費用の割合を計算することで把握できる。分子にどのような費用を用いるかによって，人件費を用いた人件費比率，事業費を用いた事業費比率および事務費を用いた事務費率がある。

人件費比率は，分子に事業活動計算書の大区分の人件費の数値を用い，これには役員報酬，職員給料と賞与，非常勤職員の給与の他，法定福利費や退職給付費用が含まれ，主にサービス活動収益の水準にそれほど影響をうけない固定費的な費用を表す。

社会福祉法人では一般に労働集約的であるため，人件費割合が大きくなる傾向にあるため，本指標の多寡が収益性に大きく依存する。人件費は職員数と給与水準に依存し，職員数は運営する施設の規模やサービスの内容に依存し，給与水準は法人の待遇を反映する。本指標が高い水準にあり，収益性が悪化している状況が継続する場合には，人員配置の見直しや施設の稼働率の向上という施策を講じることになる。

2. 事業費比率

事業費比率は，分子に事業活動計算書の大区分の事業費の数値を用い，これには給食費，介護用品費，医薬品費等の施設利用者への福祉サービスの提供に直接要する経費が含まれており，サービス活動収益の増減に影響される変動費的な性格を有する。

本指標の多寡は法人が提供する福祉サービスの内容に大きく依存する。例えば介護サービスの利用者に対して，おむつなどの介護用品を多く利用すれば，事業費率は高く算定されることになる。

事業費は福祉サービスの質に直接かかわる費用であるため，いたずらにこれを抑えるのはサービスの水準を落としかねないが，当該数値の推移を把握し，分析することが望ましい。

3. 事務費比率

事務費比率は，分子に事業活動計算書の大区分の事務費の数値を用い，これには福利厚生費，事務消耗品費，修繕費，賃借料などの法人の運営に要する一般管理的な経費が含まれている。当該指標は，職員数や運営する設備や賃借の状況等の影響を受ける。運営する事業の特徴から，法人全体の費用構成比を考慮して，比率の推移を時系列的に把握し，分析することが望ましい。

法人の借入金の利用が重要である場合には，分子に支払利息を用いた支払利息率や，設備投資額が大きい場合には，分子に減価償却額を用いた減価償却費比率を用いて，法人の状況を分析することがある。

■ 資産の合理性を表す法人指標 ■

正味金融資産額 ＝	現金預金＋有価証券＋定期預金＋投資有価証券 ＋積立資産－運営資金借入金（貸借対照表）

正味金融資産額は法人の保有する金融資産の純額である。

積　立　率 ＝	正味金融資産額（貸借対照表） ―――――――――― 要積立額（事業計画）

積立率は要積立額に対して十分な資金が確保されているかを示す指標である。

固定資産老朽化率 ＝	減価償却累計額（貸借対照表） ―――――――――― 土地以外の有形固定資産の取得価額（貸借対照表）

固定資産老朽化率は設置設備の老朽化率を示す指標である。

4. 将来の投資に利用される正味金融資産額

正味金融資産額とは，社会福祉法人の有する内部留保を考える場合に，純資産の相手勘定として資産がどのような形態で所有されているかを表した指標である。法人の将来の投資に利用可能な額を把握するために，現金およびすぐに換金可能な有価証券，定期預金，投資有価証券および特定の目的に積み立てられた資産から，運転資金に利用される運営資金借入金を控除して算定される。正味金融資産額は多ければ多いほどよいといったものではなく，それらを保有する目的を明確にした上で，必要十分な額を保有する必要があり，後述の積立率とあわせて妥当な残高を検討することが望まれる。

5. 将来の事業計画に必要な資金と積立率

積立率とは，法人がその将来の事業計画において必要とする額に対して，どの程度の資金の確保ができているかどうかを表す指標であり，要積立額に対する正味金融資産額の割合を表す。要積立額は将来の法人の設備投資計画等により求められるものであり，将来の積立目標として法人自らが算定し，理事会等の機関で決定されたものである必要がある。設備投資計画は，既存の設備の更新と新規投資または設備の拡大に関するものが含まれ，期末時点で，計画の遂行に必要などの程度の資金を保有しており，その十分性と今後の調達すべき金額を把握する上で有用な指標となる。

6. 減価償却の実施と固定資産老朽化率

固定資産老朽化率は，減価償却を実施しない土地を除いた有形固定資産の取得価額に対する減価償却累計額の割合を示す指標であり，固定資産の老朽化状況を示す指標である。建物や備品等の有形固定資産は，耐用年数に応じて減価償却が行われ，開業や新規設備の建設から月日が長く経過すれば，それに対応する減価償却累計額は増加するため，本指標の値は高くなる。

本指標の値が高い場合には，建物等の老朽化が進み，設備投資の必要性が高まっている可能性があり，正味金融資産額や積立率を併用することで，将来の設備投資に必要な資金が確保されているかを検証することができる。

7. 社会福祉充実計画とその評価

策定された社会福祉充実計画は，地域住民，公認会計士，税理士等からの意見聴取，評議員会の承認を経て決定される。計画には事業の概要，施設設備の要否，事業費の金額等が記載される（承認事務基準別紙1-参考②)。中でも会計年度別の社会福祉充実残額と社会福祉充実残額事業費の推移を対比して，各年度の計画で実施される事業の必要性とその内容から，既存事業か新規事業か，社会福祉事業だけでなく地域公益事業に充当されるのか，利用者に対する支援の動向や職員の待遇改善，資質向上を図るための研修受講費用等の支出かどうかを評価し，計画の実行による合理性を表す指標等の変化と推移を，時系列的に分析することが望ましい。なお，社会福祉充実計画は通常5ヵ年以内としているので，残額を全額活用しない場合，未充当額が残る場合や5ヵ年を超える場合はその理由にも合理性が必要となる。

10 効率性を表す法人指標

1. 総資産経常増減差額率の意義

総資産経常増減差額率は，貸借対照表の総資産に対する事業活動計算書の経常増減差額の割合を示した値であり，法人の総資産を活用して事業活動を行った結果，どの程度の経常増減差額を獲得したかという比率を意味する。企業会計における，総資産に対する利益の割合を表す総資産利益率（ROA）に相当する概念である。

法人間の比較などにおいて，経常増減差額の金額だけの比較では，相対的に規模の大きい法人の金額が大きくなるものと考えられるため，法人の総資産に対する割合を計算し，事業規模の異なる法人間の比較を有用にすることが可能になる。

2. 経常資産経常増減差額の分解

■ 総資産経常増減差額率の分解 ■

総資産経常増減差額率

総資産利益率（ROA）に相当

経常増減差額（事業活動計算書）
―――――――――――――
総資産（貸借対照表）

効率性分析 →

①総資産回転率

総資産回転率に相当

サービス活動収益計（事業活動計算書）
―――――――――――――
総資産（貸借対照表）

×

収益性分析 →

②経常増減差額率

売上高利益率に相当

経常増減差額（事業活動計算書）
―――――――――――――
サービス活動収益計（事業活動計算書）

総資産経常増減差額率は，分子・分母に事業活動計算書のサービス活動収益計を乗じて，これらを整理することによって，①総資産回転率（サービス活動収益計 ÷ 総資産）と②経常増減差額率（経常増減差額 ÷ サービス活動収益計）の積で表すことが可能となる。

①は，法人が営む事業の効率性を示す指標であり，総資産が事業活動で何回転したかを表しており，この値が大きいほど，事業の活動が効率的に行われていることを意味する。②は事業の収益性を示す指標であり，法人が営む事業の収益性を示す指標であり，この値が大きいほど，事業の収益性が高いことを意味する。総資産経常増減差額率は，①で事業の効率性，②で事業の収益性を同時に表す指標である。

3. 総資産経常増減差額率を向上させるための施策

総資産経常増減差額率をさせるためには，①総資産回転率を高めるか，②経常増減差額率を高めるかの２つの方法がある。①を高めるためには，サービス活動収益計を増加させるか，総資産額を圧縮するかの２つの方向が考えられるが，不要な固定資産を保有せず，総資産を圧縮することで総資産回転率が向上する。②を高めるためには，収益を増加させるか，費用を圧縮するかのいずれかである。介護保険収入等の収益金額の単価が法令で定められているため，利用者の増加によりサービス収益を増加させるか，効率的な施設の運用や人員配置により，各種の費用を抑えることで，経常増減差額を増加させることが可能になり，当該比率が向上する。

11 経営の自立性を表す法人指標

1. 経営の自立性と自己収益比率

社会福祉法人を取り巻く環境は厳しく，今後，国が地方に交付する国庫補助負担金の廃止，縮減が進み，国および地方公共団体の厳しい財政事情により，公的補助が縮小されていくことが想定される。

社会福祉法人のサービス活動収益は，国および地方公共団体からの補助金である経常経費補助金収入や寄附金収益のような法人外部からの受入による部分と，法人が独自に獲得する会費収益や事業収益の部分から構成されている。経営の自立性とは，法人が補助金や寄附金に依存せず，どの程度経営されているかを意味し，これは，サービス活動収益計に占める事業活動によって生み出された自己収益，すなわち補助金と寄附金を除いたサービス活動収益の割合を表す自己収益比率により把握することが可能となる。

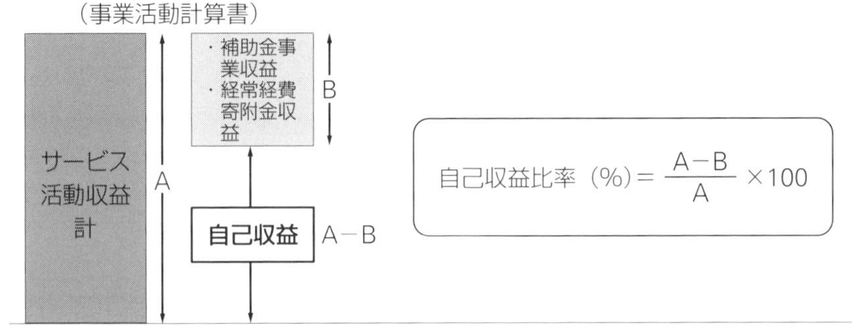

2. 自己収益比率の意義

自己収益比率は，将来的に補助金や寄附金が見込めないとした場合における経営の自立性を測る基準となる。

本指標の値が高いほど，補助金や寄附金に相対的に依存していないことを示し，値が低いほど，補助金や寄附金に相対的に依存していることを示す。

すでに説明した主要指標のうち，経常増減差額率，借入金償還余裕率，事業活動資金収支差額率，人件費率および事業費率等についても，補助金と寄附金の影響を排除して計算を行い，これらを含んだ指標との比較を行うことで，経営の自立性を判断することができる。例えば，経常増減差額率については，サービス活動増減の部に計上されている補助金事業収益，経常経費寄附金収益を除外した自己収益および経常増減差額から数値を把握し，値の低下幅が大きいほど法人の補助金や寄附金への依存度が大きいものと考えられる。

3. 自己収益比率の推移と留意点

自己収益比率が下記のように推移しているY社会福祉法人の財務状況は，どのように考えられるか，例を示してみる。

事業活動計算書	X1年	X2年	X3年	X4年	X5年
サービス活動収益計①	1,000	1,050	1,100	1,150	1,200
うち補助金収益②	200	230	260	290	320
うち寄附金収益③	200	220	240	260	280
自己収益①－(②＋③)	600	600	600	600	600
自己収益比率(①－(②＋③))÷①	60.0%	57.1%	54.5%	52.2%	50.0%

サービス活動収益は5年間毎年増加しているものの，その増加の内訳が，補助金収益や寄附金収益の増加であるため，各年度の自己収益額は変わらず，その結果として自己収益比率は毎年下落している。サービス活動収益が増加しても，経営自立性は必ずしも向上するとは限らないことに留意すべきである。

12 人員と設備からみた施設指標

1. 施設指標の意義

社会福祉法人は，事業開始に際して用地の法人所有を求めるとともに施設設備に対して補助が実施されたこと，施設ごとの設立を求める形での行政指導が行われてきたこと，および施設経営の安定化に繋がる措置制度が設けられてきたことから，施設を中心とした経営が実施されてきた。このような状況下で，同一の法人が運用するそれぞれの施設の状況を経営指標から把握し，それらの施設間の比較や他の法人が運用する施設との比較を行うことは，法人が適正な施設運営を行い，福祉サービスの質を確保し，持続可能な経営状態を維持する観点から非常に有用である。施設指標としては，適正な施設運営，施設の経営状態および利用度を表す経営指標がある。

2. 適正な施設運営を示す施設指標

■ 適正な施設運営を示す施設指標 ■

$$\text{利用者1人当たりサービス活動費用} = \frac{\text{サービス活動費用計（事業活動計算書）}}{\text{平均利用者数（基本情報）}}$$

当該指標は，利用者1人当たりに要したサービス活動費用である。

$$\text{利用者1人当たり人件費} = \frac{\text{人件費（事業活動計算書）}}{\text{平均利用者数（基本情報）}}$$

当該指標は，利用者1人当たりに要した人件費である。

$$\text{利用者1人当たり職員数} = \frac{\text{総職員数（基本情報）}}{\text{平均利用者数（基本情報）}}$$

当該指標は，利用者1人当たりに配置される職員数である。

これらの指標は，事業報告書等から入手される財務諸表の数値以外の非財務情報と財務情報を組み合わせて導出される数値であり，それぞれの数値を平均利用者数で除することにより，利用者１人当たりの数値が把握できる。

利用者１人当たりサービス活動費用は，適切な福祉サービスを提供する上で，法人が各施設に必要な資源の配分を行っているか，費用が過大となって効率性に課題がないかどうかを把握する際の基本となる指標である。利用者が施設に支払う利用料と比較することによって，サービス活動が適正に行われているかどうかを把握することができる。

利用者１人当たり人件費は，サービス活動費用の中から人件費に注目し，利用者１人へのサービス提供にどの程度人的資源が充当されているかを人件費の観点から把握するための指標である。本指標が著しく小さい場合には，福祉サービスに必要な人員に不足が生じているか，労働条件に課題が生じている可能性がある。当該指標は，職員１人当たりの人件費と利用者１人当たり職員数の積に分解することが可能であり，労働条件に関しては，１人当たりの人件費を，人員配置については，利用者１人当たり職員数を分析することで有用な情報を入手できる。

利用者１人当たり職員数は，社会福祉法人が運営する事業が労働集約型であることから，利用者１人に対して配置される職員数を表し，サービスの十分性を把握するための指標である。同一事業を営む他の施設と比較して，著しくこの指標が小さい場合には，サービスに必要不可欠な人員が配属されているかを調査することが必要になる。一方で著しく値が大きい場合には，サービスの提供手法について，非効率的でないかどうかにつき，調査が必要である。

3. 設備からみた施設指標の意義

法人の保有する設備の状況は，利用者に対するサービスの質に直接影響を与える。高齢者・身体障害者支援事業等において，リハビリ等に使用する新鋭機器を導入し，広いスペースを確保することは，サービスの質を向上させるが，そのための設備投資額が過剰になれば，法人の経営の重い負担となる可能性がある。また，設備が老朽化していれば，サービスの質を維持するためには，計画的に設備を更新する必要がある。このような状況のもと，計画的に資金の調達と設備投資を行うために，設備に関する状況を把握するための施設指標が重要になる。

4. 設備の状況を示す施設指標

■ 施設の状況を表す施設指標 ■

定員１人当たり設備資産取得価額 ＝ 設備資産取得価額合計（貸借対照表）／定員数（基本情報）

当該指標は，定員１人当たりの設備資産の取得価格である。

定員１人当たり床面積 ＝ 施設建物の床面積（非財務情報）／定員数（基本情報）

当該指標は，定員１人当たりの床面積である。

固定資産老朽化率 ＝ 減価償却累計額（貸借対照表）／有形固定資産取得価額（貸借対照表）

当該指標は，有形固定資産の取得価額に対する減価償却累計額の比率である。

これらの指標は，事業報告書等から入手される非財務情報と有形固定資産に関する財務情報を組み合わせて導出される数値であり，設備の状況が把握できる。

定員１人当たり設備資産取得価額は，貸借対照表の建物，構築物，機械および装置，車両運搬具，器具および備品，建設仮勘定およびリース資産の合計を施設の定員数で除した数値であり，定員１名に対して，どの程度の設備資産を保有しているかを示す。

定員1人当たり床面積は，施設建物の床面積を定員数で除した数値であり，定員1名に対して，施設建物がどの程度の空間を提供しているかを示す。サービス空間は，利用の安全性や快適性に影響を与えるため，生活保護法や老人福祉法等では，社会福祉施設がサービスの質を確保するために最低限遵守すべき基準を定めている。

これら2つの指標は，数値の値が著しく小さい場合には，サービスのために必要な設備等が不足している可能性があり，著しく大きい場合には，過剰な設備投資が経営を圧迫している可能性がある。設備の状況を適正に把握するためには，同種のサービスを提供する施設間での比較を行うことが望まれる。

固定資産老朽化率は，減価償却を行わない土地を除いた有形固定資産の取得価額合計に対する減価償却累計額の合計の割合を意味する。建物等の有形固定資産は，毎期計画的，規則的に減価償却が実施され，設備の取得から年月が経過すればするほど，当該指標は高くなる。本指標の値が高い場合には，建物等の老朽化が進み，設備を更新する必要があることを意味している。多額の設備投資を要する特別介護老人ホームのようなサービスを提供している社会福祉法人では，当該指標は設備の耐用年数からみた設備投資の重要な指標となる。

13 収益性と利用度からみた施設指標

1. 収益性と利用度を表す施設指標の意義

法人の施設の収益性は，利用者１人当たりの収益規模や，施設運営がどれだけ補助金に依存しているかを把握することで認識できる。また，施設設備がどの程度有効に利用されているかを把握するためには，施設ごとに設定されている定員数と平均利用者数を比較することで可能となる。利用度が高ければ，一般に施設の収益性は高いものと考えられるので，両者は密接な関係にある。

■ 収益性と利用度を表す施設指標 ■

$$\text{利用者１人当たりサービス活動収益} = \frac{\text{サービス活動収益計（事業活動計算書）}}{\text{平均利用者数（基本情報）}}$$

当該指標は，利用者１人当たりのサービス活動収益である。

$$\text{補助金事業収益比率} = \frac{\text{補助金事業収益合計（事業活動計算書）}}{\text{サービス活動収益計（事業活動計算書）}}$$

当該指標は，サービス活動収益に占める補助金事業収益の割合である。

$$\text{利用率} = \frac{\text{平均利用者数（基本情報）}}{\text{定員数（基本情報）}}$$

当該指標は，各施設における定員数に対する実際の利用度合いである。

利用者１人当たりサービス活動収益は，事業を安定的に運営していくための目安となり，利用者１人当たりサービス活動費用や人件費と比較することで，収益性を有効に把握することができる。分母に施設の総職員数を適用すれば，職員１人当たりのサービス活動収益を把握することができ，経営効率や職員の過不足の状況がわかる。

補助金事業収益比率は，施設運営がどれだけ補助金に依存しているかを示す指標であり，各施設が長期的に縮小されていく傾向にある公的補助への依存度を示し，法人の長期的な収益性を理解するのに役立つ。施設において，当該比率が著しく高い場合には，将来補助金が減額された際の影響を考慮し，事業存続のための施策をあらかじめ検討しておくことが望まれる。

利用率は，各施設の定員数に対する利用度合いを表し，施設の利用率が高いことはその施設が有効に活用され，経営は安定していると考えられるため，100％に近いほど望ましい。

2. 補助金事業収益比率及び利用者１人当たりサービス活動収益の推移と留意点

上記の比率が下記のように推移しているＺ社会福祉法人の施設Ａの財務状況は，どのように考えられるか，例を示してみる。

事業活動計算書	X1 年	X2 年	X3 年	X4 年	X5 年
サービス活動収益計①	2,000	2,100	2,200	2,300	2,400
うち補助金事業収益②	400	460	520	580	640
補助金事業収益比率　②÷①	20.0%	21.9%	23.6%	25.2%	26.7%
平均利用者数③	1,000	1,020	1,030	1,040	1,050
利用者１人当たりサービス活動収益　①÷③	2.00	2.06	2.14	2.21	2.29

サービス活動収益は５年間毎年増加しているものの，補助金事業収益も増加しているため，各年度の補助金事業収益比率は，年々増加しており，施設Ａの補助金依存度が高まっている。サービス活動収益が補助金事業収益の増加により，施設の平均利用者を上回るペースで増加しているため，利用者１人当たりサービス活動収益は増加している。サービスの単価が毎年改定されることがなくても，補助金等が毎年増加する場合には，利用者１人当たりサービス活動収益は増加することに留意すべきである。

14 経営指標の利用

1. 経営評価の体系の概要

法人や施設の経営指標は，値を算出するだけでは意味がなく，算出した数値を何らかの基準により評価することで，法人経営に役立てることが可能になる。経営指標を用いた評価には，法人や施設の個別の指標を分析する個別評価と，個別評価の結果を基礎とし，組織の経営状態を総合的に判断する総合評価がある。個別評価は比較分析に基づく相対評価と基準等を設けて絶対的な評価を行う絶対評価がある。

■ 経営評価の体系 ■

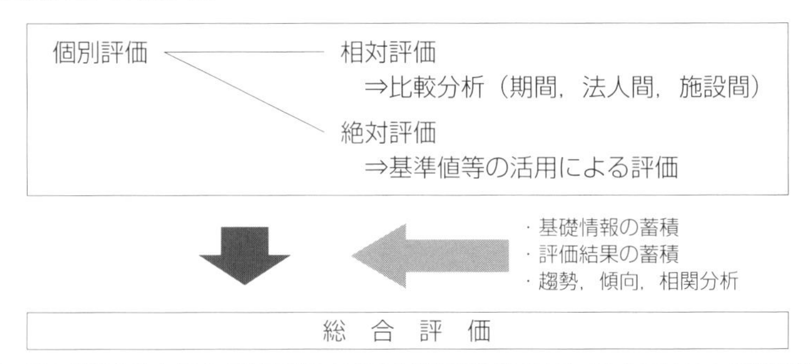

出所：日本公認会計士協会「非営利法人委員会研究報告第27号「社会福祉法人の経営指標―経営状況の分析とガバナンス改善に向けて―」」図3から作成。

2. 個別評価の意義

個別評価の相対評価とは，各指標について，過年度の数値や法人間，施設間等の観点から比較を行うことで，評価の対象となる社会福祉法人の経営状態に関する動向や相対的な位置づけの理解を深め，重要な経営課題や改善方法を検討することができる。期間比較では，前年度数値との比較を基本として，5年程度の数値の趨勢を分析することによって，法人の経営状態の動向を把握することができる。法人指標を他の社会福祉法人と比較することで，同種の事業を行っている法人や同一地域の法人に対して，相対的な位置づけを理解することができる。施設間の比較は，同一の法人内での施設の比較と他法人の施設との比較がある。同一の法人内での比較では，拠点ごとの経営状態が明らかになり，それぞれの拠点の法人内での相対的な位置づけを把握することができる。他法人の同種施設の比較を行うことで，自己の施設の相対的な強み，弱みを把握し，施設の経営に活用することができる。

独立行政法人福祉医療機構の「経営分析参考指標」には多くの経営指標が提供されており，有効な分析を行うことが可能となる。

3. 絶対評価の意義

絶対評価とは，経営指標の値について，注意を要する水準や事業の継続が危惧される水準を特定するために基準値を設け，基準値を満たす場合には経営上の問題なしとし，基準値に抵触する場合には，経営上の問題があると判断する評価をいう。例えば，収益性を示す経常増減差額がマイナスとなる場合には，将来的な財務状況の悪化に繋がる可能性があり，短期の安定性を示す流動比率が100%を下回る場合には，短期支払義務の支払いに懸念があることを意味する。

4. 総合評価の意義

個別指標を用いた総合的な評価の方法としては，個別の指標を評点化し，各指標の評点を集計することで総合的に評価を行う方法と，重要な経営指標について基準値を設定し，基準値を超過する項目と下回る項目の内容により，法人の経営状態を総合的に判断する方法が考えられる。

15 経営指標を補足する重要な定性情報

1. 重要な定性情報の内容

社会福祉法人の経営を理解し，経営分析と法人の評価を適正に行うためには，組織統治，公益性の発揮および運営の適正性が重要な視点になる。しかしながら，これらは定量的な評価になじまないものであり，事業報告書や現況報告書等で以下の定性情報を入手し，経営指標を補完することが望まれる。

■ 重要な定性情報 ■

分類	情報	摘要
組織統治	法人ガバナンス体制(各機関の役割･責任･権限)	法人の監督，経営執行および施設運営を目的に設置された機関ならびに部門の役割，権限と相互関係
	法人役員の概要	･評議員の氏名，属性および法人との関係 ･理事の氏名，属性および法人内の役職 ･監事の氏名，属性および法人との関係
	利害関係者の参画の仕組み	地域社会や利用者といった各利害関係者が法人経営に参画する仕組みと対話の状況
公益性の発揮	法人の基本理念等	理念，ビジョン，事業目標
	地域が直面する社会福祉に関する重要な課題	社会福祉に関する地域の重要課題であり，営利的な事業による対応が難しい課題についての，その背景や社会的影響等に関する法人の認識
	課題に対する法人の対応	･当該課題に対する事業活動上の対応方針とアプローチの概要（他組織との連携に関する情報を含む。） ･法人の主目的たる本来事業における対処とその他の社会貢献的活動とを区別 ･社会福祉充実計画と実績 ･法人による活動目標や投資計画を含むことが望ましい。
	法人の行動および実績を表す定量的･定性的情報	法人が事業報告の対象期間において実施した行動の概要と，当該行動の規模や性質，進捗，成果を表すデータ
運営の適正性	コンプライアンスに関する取組	コンプライアンスに関する方針と対策，コンプライアンス違反等の実績
	関連当事者との取引	役員の親族や親族が経営する会社等との取引に関する基本方針，取引の有無，内容，金額および利益相反に対処するための対応
	所轄庁指導監査	所轄庁指導監査の指摘事項と対応方針等
	監事監査	当年度における監事監査の概要

出所：日本公認会計士協会「非営利法人委員会研究報告第27号「社会福祉法人の経営指標―経営状況の分析とガバナンス改善に向けて―」」19頁より作成。

2. 組織統治の留意点

組織統治に関する定性的な情報としては，法人ガバナンス体制，法人役員の概要，利害関係者の参画の仕組みがあげられる。特に法人の役員（評議員，理事，監事）の職業，社会福祉法人が属する業界の学識経験や資格の有無，報酬および理事会への出席状況を開示することは，有効な経営が行われていることの前提条件となり得る（法 45 条の 34 第 1 項，施規 2 条の 41 第 1 項等）。

3. 公益性の発揮での留意点

公益性の発揮に関する定性的な情報としては，法人の基本理念等，地域が直面する社会福祉に関する重要な課題，当該課題に対する法人の対応および法人の行動および実績を表す定量的・定性的情報をあげることができる。特に法人が現在の状況に応じた適正な課題を認識し，これに対して，的確な対応がなされているかが重要な課題となる。地域における人口構成の変化や公的補助に全面的に依拠することなく，経営の自立性を確保し，事業を具体的に継続させるアクションプラン等の情報を開示することが望まれる。

4. 運営の適正性での留意事項

運営の適正性に関する定性的な情報としては，コンプライアンス（法令遵守）に関する取組，関連当事者との取引の注記（基準第 5 章 12 号），所轄庁の指導監査および監事監査の状況をあげることができる。中でも，法人の経営者および従業員に対して，コンプライアンスに関する啓蒙が常に実施されているかどうか，違反の実績とそれらの法人としての対応の状況を開示することは，法人経営の健全性を表すことになる。

16 経営指標を用いた効率的な経営分析のための施策

1. 法人内部での経営指標の有効な活用

法人の理事会での報告や日常の業務の遂行において，法人の状況を把握し，経営改善を実施するためには，経営指標を共通言語とするのが有効である。このために法人内部で，経営指標を有効に活用する体制を整備しなければならない。

社会福祉法人の業務執行に関する意思決定は理事会が行い，評議員会が監督するが，理事会の意思決定が適正に行われるためには，法人全体の財務情報や定性的情報をもとに，法人指標が取り纏めを行う法人本部（企画室や経理部門の場合が多い）で継続的に作成され，理事会等に提供されることが前提となる。特に理事会においては，経営指標が事業計画と予算の策定に利用されることが期待される。理事会から評議員会への説明（法45条の10）にあたっても，経営指標を用いて法人の状況を説明すれば，法人の経営状態を理解した上で重要事項に関する意見を述べることが可能になり，経営の牽制機能を強化できる。

施設指標については，各施設長が責任者となり，施設の情報を作成し，その内容を分析し，法人本部に報告する。法人本部では法人指標の分析に際して，施設指標を活用し，施設レベルでの分析が可能となる。

2. 事業報告書による情報開示の充実

社会福祉法人の状況を地域社会や社会福祉サービスの利用者に正しく伝えるためには，ウェブサイトなどを通じた情報開示を充実させることが不可欠であり，現状多くの社会福祉法人が情報開示を行っている。

財務情報が客観的なものであり，他の法人と比較可能なものであるためには，指標は一般に公正妥当と認められる会計基準に基づいて作成されなければならない。また，法人の内部統制が整備され，一定規模以上の法人への会計監査人による監査が義務づけられている（法45条の19第1項等）。

経営指標とあわせて，経営者による分析と評価に基づく見解が示されることによって，法人の利害関係者は法人の経営状態をいっそう理解することができる。また，社会福祉法人の重要な定性情報と経営理念，基本方針，事業計画および経営課題を事業報告書とあわせて開示することによって，充実した情報開示が可能になる。

■ 社会福祉法人における経営指標の利用 ■

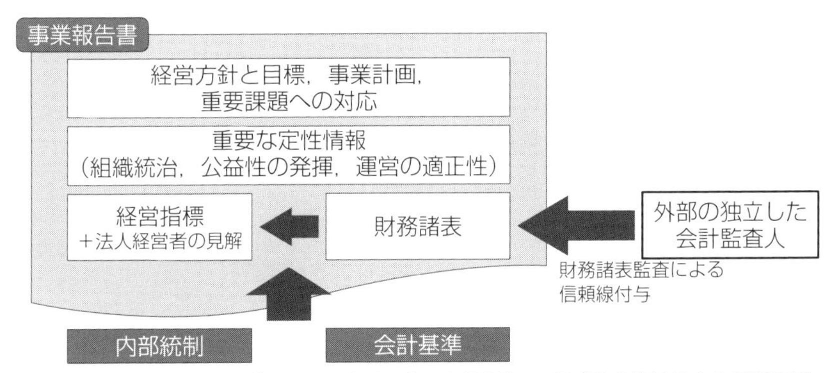

出所：日本公認会計士協会「非営利法人委員会研究報告第27号「社会福祉法人の経営指標―経営状況の分析とガバナンス改善に向けて―」」図5より作成。

社会福祉法人は，事業報告書，財務諸表および監事の監査報告書に加えて，所轄庁がガイドラインを示している社会福祉法人現況報告書および総括表で経営指標に関する情報の提供を行っている（審査基準第5章5号等）。

17 事業報告書等による情報開示(1)

1. 事業報告書等の情報の入手

社会福祉法人のウェブサイトは，多くの場合，当期の定性的な情報を表す事業報告，定量的な情報を表す財務諸表および翌事業年度の定性的な情報を表す事業計画（3年程度の中期計画）が公表されている。このほかにも社会福祉法人現況報告書が公表され，基本情報を入手することが可能となっている（審査基準第5章5号等）。

社会福祉法人の利害関係者による経営指標による分析は，当該情報を入手し，注意深く読解し，その内容を理解することが第一歩である。

2. 情報の分析の流れ

当該法人の個別評価を行うために，事業報告書等の情報を入手したら，法人の特徴を理解するために，貸借対照表と事業活動計算書について，分析の基本である前事業年度と当事業年度の2期比較を行う。この場合，以下の点に留意する必要がある。

① 貸借対照表，事業活動計算書の内容に新たに発生した項目や消滅した項目，大きく増減した項目はないか

② 各科目の関連性に異常はないか

③ 貸借対照表科目の構成比率と事業活動計算書の百分比率に変動はないか

④ 資金収支計算書が貸借対照表，事業活動計算書の変動内容と整合しているか

⑤ 2期間の経営指標を導出し，その分析を実施する

①については，該当する項目があった場合には，その理由が明確であるかどうかが重要である。あわせて事業報告書や事業計画の内容と整合して

いるかを確かめる必要がある。

②について，例えば介護保険事業収益が2期比較でほぼ同額の場合，未収入金が入金されるまでの期間が変化していないとすれば，未収金の金額は前期と同程度の金額になるはずである。また，重要な有形固定資産を取得した場合には，設備資金借入金が増加し，減価償却費も増加するといった関連性がある。このように財務諸表の各科目間には，多くの場合，関連性がある。

③については，法人の行う事業が変化しないかぎり，大きな変化が起こることは少ないが，数値が大きく変化した場合には，その内容を事業報告書や事業計画で確認する必要がある。

④については，借入金で有形固定資産を取得した場合には，貸借対照表の有形固定資産が増加し，資金収支計算書には設備資金借入金収入が増加するといった関係をいう。

⑤については，法人全体の経営指標について2期比較を行った上で，当該数値を運営する施設単位に展開し，法人全体の経営指標の変化原因を特定することも含まれる。

3. 社会福祉法人の情報開示例

社会福祉法人全国社会福祉協議会のウェブサイトにおいての情報開示として，以下の事業情報，財務情報が開示されている。

- 平成28年度事業計画
- 平成28年度資金収支予算
- 現況報告書
- 計算書類等（平成27年度決算書）
  法人全体の計算書類等，社会福祉事業区分の計算書類等，収益事業区分の計算書類等，監事監査報告書，独立監査人の監査報告書

18 事業報告書等による情報開示(2)

1. 経営指標による分析

訪問介護事業やリハビリ病院等を営むA社会福祉法人のX0年度, X1年度の財務情報（抜粋）は以下のとおりであり, 2期比較による財務分析を行う。

■ A社会福祉法人の財務情報 ■

（単位：百万円）

		X1年度	X0年度
【資金収支計算書】			
事業活動収入計	⑨	2,236	2,328
事業活動支出計		2,265	2,310
事業活動資金収支差額	⑩	△29	18
施設整備等収入計		0	0
施設整備等支出計		△21	△36
施設整備等資金収支差額		△21	△36
その他の活動資金収支差額		45	33
当期資金収支差額合計		△5	15
【事業活動計算書】			
サービス活動収益計	①	2,325	2,430
サービス活動費用計		2,392	2,434
（うち人件費）	⑪	1,496	1,550
（うち事業費）	⑫	380	355
（うち減価償却費）		30	28
サービス活動増減差額		△67	△4
経常増減差額	②	△60	13
【貸借対照表】			
流動資産	③	615	608
（うち現金預金）	⑤	440	425
固定資産	⑧	717	772
（うち基本財産）		10	10
（うち有形固定資産）		235	214
（うち減価償却累計額）		135	105
総資産	⑥	1,332	1,380
流動負債	④	228	230
固定負債		242	228
純資産	⑦	862	922
（うち基本金）		10	10

財務内容はX0年からX1年にかけて，事業活動収入が92,000万円減少しており，事業活動資金収支差額や経常増減差額がマイナスになったことから，財務状況は相対的に悪化しているものと考えられる。主要な経営指標を算定すると以下のとおりである。

■ A社会福祉法人の主要な経営指標 ■

		X1年度	X0年度
【経営指標】			
（収益性）			
経常増減差額率	②÷①	－2.6%	0.5%
（短期安定性）			
流動比率	③÷④	269.7%	264.3%
当座比率	⑤÷④	193.0%	184.8%
（長期持続性）			
純資産比率	⑦÷⑥	64.7%	66.8%
固定比率	⑧÷⑦	83.2%	83.7%
（資金繰り）			
事業活動資金収支差額率	⑩÷⑨	－1.3%	0.8%
（合理性）			
人件費率	⑪÷①	64.3%	63.8%
事業費率	⑫÷①	16.3%	14.6%
（効率性）			
総資産経常増減差額率	②÷⑥	－4.5%	0.9%

主要な経営指標について，収益性を表す経常増減差額率や資金繰りの状況を表す事業活動資金収支差額率，効率性を表す総資産経常増減差額率がいずれもマイナスになっており，合理性を表す人件費率や事業費率も上昇している。当該指標の過去5年程度の推移をあわせて分析することで，A社会福祉法人の経営指標の悪化が一時的なものであるかどうかを検討し，事業報告書等での法人の対応が十分であるかを検討することが必要である。

しかしながら，短期安定性を表す流動比率，当座比率については一般に望ましいとされる200%，100%を上回っており，短期的な支払能力には重要な懸念がないものと考えられる。

第4章

要約

第4章では，社会福祉法人の経営指標の意味とその分析手法を紹介した。経営指標は社会福祉法人の定量的な評価に非常に有用であり，第2章で解説した財務3表の理解を前提として，各種経営指標を時系列および他の法人との比較で分析し，ガバナンス（組織統治），公益性の発揮，運営の適正性といった定性的な評価をあわせて行うことで，社会福祉法人内外の利害関係者の立場から，法人の実態を把握することが可能となる。

参考文献

※以下に記載されていない資料については「社会福祉法人関連法令・資料一覧」(vii~ix ページ) をご参照ください。

序章・第1章

医療機関・福祉施設を応援する会計事務所の会『新会計基準対応! Q&A 社会福祉法人の「設立・運営・会計・税務」ハンドブック』セルバ出版, 2011 年
厚生労働省『平成26年版厚生労働白書―健康長寿社会の実現に向けて～健康・予防元年～―』2014 年
羽生正宗『医療法人・社会福祉法人の税務対策―移行・事業承継―』ぎょうせい, 2013 年
平林亮子・髙橋和寿『やさしくわかる社会福祉法人の経営と運営(第2版)』税務経理協会, 2016 年
有限責任　あずさ監査法人『社会福祉法人会計の実務ガイド(第2版)』中央経済社, 2016 年
公益法人制度改革の概要行政改革推進本部事務局「特定非営利活動促進法のあらまし」内閣府, 平成 29 年 4 月
公正取引委員会事務総局経済取引局調整課「社会福祉法人と株式会社のイコールフッティングについて」平成 26 年 3 月 17 日
厚生労働省「社会福祉法人のガバナンスと社会貢献活動の義務化に対する考え方」平成 26 年 3 月 25 日
内閣官房「政府広報『明日の安心　社会保障と税の一体改革』」平成 24 年
阿久澤主計官・廣光主計官「平成 29 年度社会保障関係予算のポイント」平成 28 年 12 月
全国社会福祉法人経営者協議会「アクションプラン 2020」平成 28 年 4 月 1 日
税制調査会「法人税の改革について」平成 26 年 6 月 27 日
近畿税理士会「『社会福祉法人制度改革に関する研修会』資料」平成 29 年 3 月 29 日
神原正明「『社会福祉法人の制度・会計・税務』関西地区三会共催研修会資料」平成 29 年 3 月 24 日

第2章

総合福祉研究会『四訂版　社会福祉法人会計簿記テキスト上級(簿記会計)編』総合福祉研究会, 2015 年
全国社会福祉法人会計研究会『社会福祉法人の会計基準 Q&A』清文社, 2015 年
永田智彦・田中正明『改訂新版　社会福祉法人の会計実務―「平成 23 年新会計基準」完全

対応』TKC 出版，2013 年
日本公認会計士協会近畿会　非営利会計委員会社会福祉法人小委員会『実務に役立つ　社会福祉法人の会計と決算』清文社，2012 年
本郷孔洋監修・八重樫巧『社会福祉法人　事務局長さん・税理士さんに知っていただきたい会計制度の基本・税務の基本の本当の話』税務経理協会，2014 年
宮内忍他著『平成 29 年 4 月施行対応版　社会福祉法人の新会計規則集』第一法規，2017 年
有限責任　あずさ監査法人『社会福祉法人会計の実務ガイド（第 2 版）』中央経済社，2016 年
国税庁課税部資産評価企画官資産課税課「類似業種比準価額計算上の業種目及び類似業種の株価等の計算方法等について（情報）『（別表）日本標準産業分類の分類項目と類似業種比準価額計算上の業種目との対比表（平成 27 年分）』」平成 27 年 6 月 1 日

第3章

全国社会福祉法人会計研究会『もう「知らない」ではすまされない　社会福祉法人の不正防止・内部統制・監査』清文社，2014 年
日本公認会計士協会近畿会　非営利会計委員会社会福祉法人小委員会『実務に役立つ　社会福祉法人の会計と決算』清文社，2012 年
有限責任　あずさ監査法人『社会福祉法人会計の実務ガイド（第 2 版）』中央経済社，2016 年
監査法人彌榮会計社・仰星監査法人『平成 29 年 4 月からの社会福祉法人の会計監査 ~ 指導監査とは異質の会計士監査制度の創設 ~』実務出版，2016 年
新日本有限責任監査法人『社会福祉法人に求められる内部統制の実務対応』清文社，2016 年
日本公認会計士協会「日本公認会計士協会特別編集版 社会福祉法人監査資料集［非売品］」日本公認会計士協会出版局，2017 年
全国社会福祉協議会「市区町村社協事務局長の出納業務に関する 10 のチェックポイント」平成 19 年 5 月 29 日
全国社会福祉協議会「受託事務団体の出納業務や利用者等からの預かり金品の管理等に関する 6 のチェックポイント」平成 19 年 5 月 29 日

第4章

日本公認会計士協会編『平成 29 年版　非営利法人会計監査六法』日本公認会計士協会出版局，2017 年
古田清和『〈新会社法 対応〉財務諸表の読み方・見方（第 2 版）』商事法務，2008 年
森繁樹・宮島渡・田島誠一「座談会：地域包括ケア時代の勝ち残り社会福祉法人経営とは」『社会福祉法人・施設の経営実務』追録第 120 ～ 124 号別冊，第一法規，2013 年 8 月 16 日
森田松太郎『ビジネスゼミナール　経営分析入門（第 4 版）』日本経済新聞出版社，2009 年

索　引

た

な

は

【著者紹介】（執筆順）

古田　清和（ふるた・きよかず）〔序　章・第１章〕
公認会計士・税理士
古田公認会計士事務所　代表

津田　和義（つだ・かずよし）　〔第２章〕
公認会計士・税理士
津田和義公認会計士・税理士事務所　代表

中西　倭夫（なかにし・しずお）〔第３章１～11〕
公認会計士
公認会計士中西倭夫事務所　代表

走出　広章（はしりで・ひろあき）〔第３章12～19〕
公認会計士・税理士
走出会計事務所　代表

村田　智之（むらた・ともゆき）〔第４章〕
公認会計士・税理士
村田公認会計士事務所　代表

平成28年5月10日　初版発行
平成28年6月30日　初版2刷発行
平成29年8月10日　第2版発行　略称：社会福祉法人(2)

社会福祉法人の運営と財務（第２版）

著者 © 古田清和
津田和義
中西倭夫
走出広章
村田智之

発行者 中島治久

発行所 同文舘出版株式会社
東京都千代田区神田神保町1-41　〒101-0051
営業（03）3294-1801　編集（03）3294-1803
振替 00100-8-42935　http://www.dobunkan.co.jp

Printed in Japan 2017　DTP：マーリンクレイン
印刷・製本：三美印刷

ISBN978-4-495-20272-9